Opportunities for developing and applying skills across the curriculum

Which skills?

The **common requirements** of the National Curriculum in Wales include six skills areas.

Skills area	Pupils develop and apply:
Communication Skills	their skills of speaking, listening, reading, writing and expressing ideas through a variety of media
Mathematical Skills	their knowledge and skills of number, shape, space, measures and handling data
Information Technology Skills	their IT skills to obtain, prepare, process and present information and to communicate ideas with increasing independence
Problem-Solving Skills	their skills of asking appropriate questions, making predictions and coming to informed decisions
Creative Skills	their creative skills, in particular the development and expression of ideas and imagination
Personal and Social Education	the attitudes, values, skills, knowledge and understanding relating to Personal and Social Education.

All staff are responsible for helping pupils to develop these skills from the Early Years to the end of Key Stage 4 and beyond so that pupils are prepared for the opportunities, responsibilities and experiences of adult and working life. The skills are introduced in the *Desirable Outcomes for Children's Learning before Compulsory School Age*, ACCAC, 2000, and developed through the National Curriculum and Key Stage 4 qualifications. This continuum is illustrated in **Appendix 1**.

Currently, different organisations and agencies (e.g. Basic Skills Agency, Estyn, Awarding Bodies) use different terminology with reference to skills. Further details of the terminology and definitions used and the ways in which the skills described are assessed and achievement recognised can be found in **Appendix 2**.

The first three skills areas in the table above are closely linked to the subject orders for English/Welsh, mathematics and information technology and it is here that the groundwork takes place. Other subjects will provide a range of opportunities for pupils to practise, consolidate and refine these skills in real contexts and for real purposes. Indeed, pupils who find themselves in need of a particular skill – perhaps a mathematical skill within a geography lesson – may well be more motivated to develop that skill now that they have found it to have real relevance and purpose.

Most subjects provide opportunities for the development of creative and problem-solving skills. Personal and social education includes a range of skills as outlined in the *Personal and Social Education Framework Key Stages 1 to 4 in Wales*, ACCAC, 2000 and the *Personal and Social Education: Supplementary Guidance*, ACCAC, 2000.

All six common requirements are vital to pupils' learning. Audits of the common requirements are available on the ACCAC website and list all the places that each common requirement symbol appears in each subject order. However, work on each area of skills is at very different stages in schools, LEAs and other national organisations.

The recent work on literacy and numeracy in primary schools, now moving into Key Stage 3, has helped schools to focus on developing and applying skills that help pupils to work more effectively in other subjects. In fact, a policy on improving language skills has been a part of many schools' planning for some years, especially secondary schools. Developing pupils' abilities to read with understanding, to write with appropriate structure and accuracy and to take part in interactive oral work clearly brings benefits for every curriculum area. Moreover, raising all teachers' awareness of the role of language in learning is proving effective in helping them to reflect constructively on their own practices. Evidence suggests that such policies are having a positive effect on pupils' achievement across the curriculum and are enhancing the quality of teaching and learning.

Although work on literacy and then numeracy has generally come first, a similar focus on the role of other skills in supporting learning is now being developed. The use of IT skills to support work across the curriculum is growing. The PSE Framework has highlighted the importance of personal and social skills, particularly in emphasising the effectiveness of pupils' learning to improve their own performance and to collaborate and work with others. Although the nature of creative and problem-solving skills is less well defined, opportunities for their development are signposted at appropriate points throughout the orders. Relevant new initiatives based on research are beginning to inform educational thinking.

It would not be realistic to expect schools to address all six skills areas fully at the same time. The timescale for such work in individual schools will depend on the current situation and on school priorities.

A whole school approach

It is essential that there is a whole school approach to the development of the six skills areas. Without such an approach, development might well be inconsistent and partial.

A whole school approach should aim to ensure that there is a clear overview of skills development within the school and that all staff share a common understanding of what is involved. Common expectations and a commitment from all staff to incorporate opportunities for skills development in their planning will help to provide consistency across all subjects.

Systematic monitoring and periodic evaluation will also play an important part. Teachers will benefit from opportunities to:

- share good practice in teaching and learning and use expertise from within and outside the school to gain information about the repertoire of skills required
- work together to identify opportunities across the curriculum and in real contexts for pupils to develop, practise and refine skills that may originally have been taught in specific subjects
- address individual learning needs more effectively through the use of a range of teaching methods, encouraging diverse learning styles.

In secondary schools in particular, teachers will also need to know what is included in the schemes of work of other subjects and when particular skills are addressed so that they do not expect pupils to be competent in skills they have not yet been taught.

Most importantly, a successful whole school approach should result in considerable benefits for all pupils.

What constitutes progression?

The whole school approach described above will only be successful if all teachers clearly understand the nature of progression in work on skills.

Although many schools already provide opportunities across the curriculum for the development and application of skills, this provision may not necessarily be consistent or balanced. For example, a primary class may be used to searching for information on the Internet in Year 5, but have no opportunity to build on these skills in the following year with a different class teacher who lacks confidence in such an activity. A science department in a secondary school may be very aware of their pupils' linguistic and communication needs and make explicit provision to meet them, whereas another department in the same school may have no such equivalent policy. Such lack of consistency can lead to pupils' uncertainty about teachers' expectations of them, to different standards of work with different teachers, to a lack of progression and, in extreme cases, to pupils' regression in certain skills. It also fails to make clear to pupils how important skills are, both in school and in future life.

There are some general ways in which pupils can demonstrate progression in the application of skills. These include:

- greater independence and confidence in applying skills across the curriculum
- an increasing repertoire of skills that they can apply effectively in different contexts and situations
- an increasing ability to identify their own preferred learning styles and to organise their own learning
- a greater understanding of the contribution that skills can make to learning in a particular subject and to their future lives and careers
- a greater understanding of the importance of self-assessment.

The nature of progression differs, however, in individual skills areas. The corresponding subjects' programmes of study and level descriptions outline progression in communication, mathematics and IT. Expertise here is within the school, with the curriculum coordinator in the primary/special phase and the relevant head of department in the secondary. This expertise needs to be shared with all staff so that each teacher is aware of what constitutes progression in specific activities, for example, in writing, data handling or word processing. Teachers can then provide opportunities to enable pupils to use their skills in an increasingly sophisticated way in successive activities both within one subject and across the curriculum.

Take, for example, a skill such as reading and retrieving information from non-fiction texts – a skill which pupils need throughout their schooling and beyond. What provides progression here is the increasing linguistic difficulty and cognitive complexity of the texts as well as the pupils' ability to understand, select what is relevant and use the information for a particular purpose. This is true for reading in all subjects. For example, in technology, pupils might have to read the following at different periods of their school careers:

Year 4	Read a list of ingredients and follow simple instructions for baking Welsh cakes.
Year 7	Read and follow instructions for making a simple model boat.
Year 9	Read and follow instructions for planning, designing and making a pencil box.

The skill of reading and extracting information is progressively more difficult here because of the increasing complexity of the content, terminology and demand of the task itself.

Pupils can also show progress in reading by retrieving information from text on screen – from CD–ROMs and the Internet. In the following example from history, pupils in subsequent year groups build on the skills learned in Year 6 and progressively develop their IT skills of CD–ROM navigation, word processing and presentation in the context of historical research.

Year 7	Building on skills learned in Year 6, follow simple instructions for logging on to and retrieving information from the Internet. Follow simple instructions to present their work using a word processing package.
Year 8	Complete lessons based on the use of specific Internet sites. Construct a basic/simple electronic slide show for their peers, using scanners and digital cameras, to present the information gathered.
Year 9	Follow guidelines for independent research using the Internet. Working in pairs or small groups, construct more advanced slide shows and simple web pages that will be transferred on to CD–ROM and possibly be displayed on the Internet.
Years 10/11	Use the Internet, following specific instructions, to complete numerous revision tasks. Continue independent research, using the history department web site for guidance. Work in groups to plan, design, construct and present slide shows based upon topics being studied, using the full range of ICT skills learned at KS3.

It is through their increasing ability to use ICT skills that these pupils are able to refine their research and presentation skills in relation to history and to meet the increasing challenge of the tasks set.

A further example from geography shows how opportunities to use and develop the skills of data handling can form an integral part of pupils' experiences when learning about their locality and about the management of the environment. Enquiry into issues about traffic, for example, will benefit from an increasing ability to use mathematical and IT skills as pupils move through the key stages.

Year 4	Carry out a survey of how pupils in a class travel to school. Complete a tally sheet and produce a bar graph. Use IT to produce copies or change elements.
Year 7	Carry out a survey of street traffic. Change figures into percentages and complete different types of graphs, including pie charts, to illustrate comparisons, e.g. by weather, day, location. Use IT to compare the effectiveness of the graphs.
Year 9	Carry out a survey on traffic in a local town and use tabulated secondary data. Extract key data and describe rates of change over time. Use IT package to forecast future trends.

Here, as in the example from history, pupils must also use a range of communication skills, not only in reading but in speaking and listening. As they collaborate for much of the time in groups, they need, as well, to use and develop their personal and social skills.

Guidance about progression in personal and social skills can be found in the PSE Framework, which defines personal and social education and sets out learning outcomes including skills at each key stage. Additional information is contained in the PSE Supplementary Guidance, which also provides examples of whole school approaches to PSE.

Problem-solving can occur in all subjects of the curriculum and opportunities for developing creative skills are also found in most subject areas, not only in those that are normally considered to be 'creative' such as music and art. For example, the science orders show a clear development, requiring pupils to be taught at KS1:

> *to use their experience and the information they obtain from their investigations to develop their own scientific ideas (1.3)*

and at KS3:

> *to apply their scientific knowledge, understanding and skills to design strategies, solve problems and offer explanations relating scientific ideas to the information about them (1.1)*

and

> *how creative thought as well as information may be required in arriving at scientific explanations (1.3).*

Opportunities for developing creative and problem-solving skills, which are closely related, lie in using a range of teaching approaches and in appropriate task setting where objectives include those for the particular skills being targeted. These opportunities may occur at any point of the curriculum when pupils have to:

- discuss different perspectives or approaches
- make choices and decisions
- review, redraft and refine their work
- decide what information should be collected
- design objects
- investigate hypotheses
- make comparisons and connections
- explain causes and reach reasoned conclusions.

Progression here will relate closely to the task and to subject-specific criteria for success.

Coordinating work to ensure progression in pupils' skills

Implementation

This section provides advice on coordinating the implementation of skills work in schools across successive key stages and across the whole curriculum.

As with other whole school developments, the following steps are helpful:

- adapting or developing a school policy
- making arrangements for coordination
- auditing the school's current state of development, deciding how much needs to be done and prioritising actions
- planning, both across the school and within subjects
- identifying opportunities across the curriculum for the development and application of skills
- organising staff training as necessary to improve teachers' knowledge of the required skills, of progression in them and of the benefits of this approach for teaching and learning
- monitoring and evaluating the policy and its outcomes
- monitoring and assessing pupils' performance.

To illustrate these steps, this section presents examples of current practice in primary, secondary and special schools in Wales. Many of these schools are at an intermediate phase in their development work and none would claim to have established a complete and efficient cycle of planning, implementation and evaluation for all aspects of the six skills areas.
All have had to prioritise their actions according to needs and available time and resources. Some have yet to begin development in certain areas. However, all show evidence of clear aims and thoughtful planning and implementation, and provide useful models from which other schools can learn.

A school policy

Policies for skills development have emerged in a variety of ways. In some cases, an individual or working party has drawn up a draft policy for discussion and refinement by the whole staff. In others, an existing policy, perhaps for basic or key skills, has been adapted and its scope broadened.

One rural secondary school began development of separate policies for the basic skills of literacy, numeracy and IT several years ago but in an uncoordinated way. When the school decided to focus on the six skills areas required by the common requirements, it began by expanding the existing policies. All members of staff attended internal INSET on the importance of the skills. The school set up three staff panels to revise the old basic skills policies so that they included a broader focus on communication, mathematical and IT skills. The school development plan for that year included the implementation of these new policies. To support development, the school established two dedicated IT rooms and appointed a new school librarian to support the communication policy. Once these policies are established, the school intends to focus on the three remaining skills areas.

A skills policy can also evolve in a more gradual manner in response to the changing circumstances of the school.

A primary school of 130 pupils began by drafting a literacy policy to meet perceived needs in the school. They then developed this policy to address wider communication skills, subsequently introducing documents for mathematical and IT skills. Thus, the school has developed a whole school policy over a number of years and now selects one specific aspect to receive attention and be enhanced each term.

Many schools have already provided opportunities for the development of skills, though possibly not in a systematic way and without a specific policy. Because of this, a number of schools have found that introducing a policy document does not bring with it more work for teachers.

One headteacher remarked:

'We've been covering it for years ... we've always addressed skills as part of our teaching ... that is why we do not see the need for lots of additional documentation ... or a coordinator ...We already have a cohesive structure in which skills are integrated. We will, though, have to plan our progression in more detail.'

Another headteacher in a school which had well-developed practice but, at the time of the research visit, had no written policy remarked that when the policy is developed:

'It will make references to already existing delivery and opportunities in IT, communication etc. It will simply pull together, in a cohesive way, our skills strategies. What we do need to do is to focus on the progression aspect.'

Coordination

The roles and responsibilities allocated to promote and coordinate work on skills will differ from school to school, depending on size and type. For example, in one small primary school with a teaching head and two other teachers, the head has taken responsibility for the whole school perspective, including the focus on personal and social, creative and problem-solving skills. Teacher A, who has subject responsibility for English and ICT (amongst others), coordinates communication and IT skills, while Teacher B, who has subject responsibility for mathematics (amongst others), coordinates mathematical skills. In a medium-sized comprehensive school, a deputy head is responsible for whole school coordination, the head of Welsh for communication skills, the head of IT for IT skills and the second in the mathematics department for mathematical skills.

Whatever the size of the school, the two main management perspectives are:

- an overview at whole school level
- an overview of each skills area.

At whole school level, the coordinator will probably be part of senior management.

In one small comprehensive school, a member of the senior management team is responsible for coordinating skills throughout the school. He operates through the network of heads of department. In one-to-one meetings held once per term, each head of department reports to the coordinator on how skills are delivered within that department and presents samples of pupils' work to indicate progress. The coordinator then presents a report to the senior management team on skills progress throughout the school at the end of each term.

The teacher coordinating each skills area should have expertise in that area and be able to liaise smoothly with other members of staff. The provision of some dedicated time will make these responsibilities more manageable.

One primary school with a mixed catchment area and a non-teaching head reviewed its skills policies after an internal assessment by its LEA reported wide variations in pupils' language and mathematical attainment. Having decided that a more focused approach across all teaching was required, the school nominated its teacher with responsibility for mathematics as a whole school skills coordinator. The school released her from class teaching for one day per week during the following term to focus on the new responsibility, using supply cover and the head herself to take her class. The coordinator conducted a survey to ascertain the skills needs of different subject areas. Using that information, she decided to develop mathematical skills first and arranged relevant INSET sessions in that area for the whole staff over the ensuing two terms. The school intends to concentrate on communication and IT skills during the next school year.

One important task for the individual coordinator is to ensure that there is consistency across all subjects and all teachers in the implementation of skills policies.

When a school coordinator was appointed in one secondary school, she found that departments had different approaches to mathematical skills and, with regard to communication, used widely different methods for addressing linguistic errors. It took a little time to bring departments together and agree on common strategies in these areas, but the school reports that pupil performance appears stronger since a common implementation of these aspects has been adopted.

In the primary context and in most special schools, it may be easier to provide parallel opportunities for skills progression across subjects since the same class teacher is usually responsible for teaching the whole curriculum. However, schools still need to ensure consistency both between teachers of different year groups and across large year groups where there is more than one class. If teachers are aware of which skills pupils have acquired during the previous year and of how far they have progressed in using those skills, they can build on this knowledge as part of their forward planning.

Continuity and progression will only be possible if there is coordination between key stages. This is relevant to the transfer from KS1 to KS2, particularly if separate schools are involved. Teachers will need to share information about the extent to which pupils have acquired and consolidated skills at KS1 so that they can plan for progression.

Effective coordination between the primary and secondary phases is a particular challenge and is currently a key issue nationally. Where the primary/secondary liaison has been mainly concerned with pastoral and/or special needs aspects, many schools now realise that primary/secondary transition should also focus on the continuing development of skills. Primary teachers need to understand the demands of the secondary curriculum and to focus on developing the skills that will allow pupils to cope with these demands and not regress. Equally, the secondary school needs to have an overview of the strengths and weaknesses of the Year 6 pupils who are about to move there, so that the school is able to identify the way forward.

There is now much greater consistency in skills teaching across the primary sector since the publication of the Literacy and Numeracy Frameworks for primary schools, published by the Welsh Office and OHMCI in 1998 and 1999 respectively. Secondary schools will only benefit fully, however, if all their staff realise what has been achieved in relation to skills acquisition at primary level; for example, by noting the levels and marks that pupils achieved in the end of KS2 assessments in English/Welsh and mathematics.

Some schools use bridging teaching units or courses across Years 6 and 7.

One primary school, which had received an excellent inspection report on progression in mathematical skills, judged that its pupils' mathematical development tended to slow down or even regress on transfer to secondary school. They felt this was because the teaching programme in Year 7 lacked progression from Year 6. The school therefore began discussions with the secondary school and other primary schools in the cluster to improve continuity. The outcome was that the secondary mathematics department and the primary schools together devised a scheme of work where the initial units were introduced in the last term of Year 6 and the final units delivered in Year 7. This has created a natural progression and avoids needless repetition at the beginning of KS3.

Raising awareness among secondary teachers of the standards pupils are capable of achieving is another important area linked to transition. Unless expectations are sufficiently high in Year 7, pupils can produce work that falls short of their best efforts in Year 6. Subsequently, false assumptions can be made about those pupils' capabilities.

One cluster of primary schools made an arrangement with their secondary school that examples of pupils' best work in language, mathematics, IT and other subjects during Year 6 should be passed on to the secondary school heads of departments. These were then used as exemplar materials of pupils' potential so the school could more easily identify and remedy pupils' underattainment in Year 7.

Sending samples of best work in this way is not unusual. What is important, however, is that the primary and secondary schools have come to an agreement about what will be sent and how it will be used, and that the secondary departments actually do have the opportunity to use it. One crucial factor is the timing of the transfer of this work. If it is not received until the autumn term of Year 7, it will have lost its impact since the time for reflection and planning for that term will have passed. Such matters need to be coordinated if transfer is to be successful and progression maintained.

Auditing and prioritising

Any audit of current procedures and opportunities will undoubtedly reveal much about a school's strengths and weaknesses. Auditing the staff's own awareness of and competence in the six skills areas will usually produce a similar outcome.

Sometimes it will reveal strengths.

> One school had an excellent inspection report that did not identify any weaknesses for immediate action. As a result, staff from other schools wanted to visit. It found itself the centre of attention with requests to deliver in-service training. In order to prepare for this, it started to analyse how it taught – something that, up until then, had been instinctive rather than explicitly stated. It was this audit that revealed the extent to which the teaching of skills was integral to all teaching and learning right across the curriculum.

The audit here helped the staff become aware of the principles of their good practice which they were then able to share with other schools and to use as a baseline for future development.

However, an audit can also reveal deficiencies.

> When mapping mathematical skills, one primary school realised that almost all its work was in mathematics sessions. There was little use of skills across the curriculum, even though the mathematical performance of pupils as a whole in the school was adequate. They realised that although standards in National Curriculum assessment may be satisfactory or good, it is easy to miss opportunities for using and further developing the associated skills across the curriculum. The probable improvement in pupil performance in other subject areas will then be lost. Pupils will neither appreciate the relevance of using skills in a wide range of contexts nor learn to recognise for themselves which skill is the most appropriate for the task in hand.

As noted in the section on policies, existing work on basic skills can provide a starting point for development of the wider skills areas within the common requirements. A whole school audit will identify what has to be done.

One school had already given attention to basic skills, with which staff were now familiar. However, its audit of opportunities for wider skills areas showed how they needed to extend their approach regarding:

- breadth of existing skills: for example, the idea of literacy, based on writing, had to be extended to that of communication, involving a range of reading, media, speaking and listening; and the narrow focus of numeracy expanded to encompass the full range of mathematical skills
- range of existing skills: information technology, personal and social, creative and problem-solving skills were not part of the basic skills remit
- the population to whom they applied: because developing basic skills was of the greatest relevance to low attainers, the majority of pupils had very limited opportunities for practising their skills; the idea that a wide range of skills has to be developed in all pupils in all curriculum subjects was a new one.

This school realised as a result of its audit that their existing work was a good starting point for developing progression in skills but that it only represented a part of the common requirements. However, by raising awareness of existing work, they removed the threat of having something completely new to do and additional work was kept to a minimum. As far as possible, the enhanced skills work was accommodated within existing procedures and documentation.

Planning opportunities

Planning occurs on several levels and time scales, ranging from a number of years as part of successive school development plans to a termly, monthly or weekly scheme of work. Ideally, the whole school plan will feed into departmental plans and revised schemes of work. Teachers will also need to review their teaching approaches and classroom organisation.

Such whole school initiatives as investigating the readability of texts, the teaching and display of key words and the implementation of common approaches to the marking of spelling, punctuation and grammar across the curriculum are now frequently pursued in schools. This consistency is crucial if pupils are to be aware of a common set of expectations across the school and to make progress in developing their skills across the curriculum.

Communication skills

As already noted, because of previous initiatives for improving literacy skills and promoting language across the curriculum, schools are probably further ahead with work on communication skills than for others. However, the emphasis has often been on literacy as a remedial priority for pupils of lower ability. It is important that schools recognise the need to foster improved communication skills for all pupils and that high-attaining pupils also have opportunities to improve their performance.

Individual subjects often lend themselves to developing communication skills in various ways.

One rural primary school ensures that each subject area makes a particular contribution to developing communication skills.

Music: in singing, the class learns the meaning of a song's lyrics, how to pronounce the words clearly and how to express the meaning of the words through song. These opportunities are carefully planned in the schemes of work for music.

History: pupils in Years 5/6 work in pairs to produce a short local history project on a topic of interest to them. They then present their findings to younger pupils in Years 3/4 using a range of oral, written and presentational skills. Communication skills are specifically included in the project aims.

Physical education: pupils doing gym work involving sequences found these hard to remember. They now work in pairs or small groups, making notes on movements as they go along. When the sequence is repeated, one pupil then reads aloud this record of the moves for the other(s) to follow. This approach is now included in subject planning.

Communication in religious education

As part of their planning, one RE department specifically focuses on the development of pupils' communication skills. For example, in a unit of work on marriage for Year 9 pupils, the scheme of work specifically requires the following activities to be built into lessons. Pupils consequently have regular opportunities to use and refine their oral skills through:

- brainstorming sessions where they can initiate ideas
- group work where ideas are discussed and refined
- interviews with members of the family and other adults
- formal presentations of findings and conclusions to the whole class

their reading skills through research:

- of departmental resources
- in the school library, from books, CD–ROMs, journals and magazines
- the Internet

and their writing skills through:

- note-taking as part of research
- final written presentations in the format of their choice – including pamphlets, posters and magazine articles.

Pupils may also choose to use IT skills by presenting their ideas as a video or a series of web pages.

Teachers provide guidance about the criteria for success in the various activities, in collaboration with the English and IT departments.

Subjects that clearly develop communication skills – English, Welsh and modern foreign languages – can work together to reinforce and build on different aspects of communication and raise achievement across the languages.

In one secondary school that took part in the CILT 'Developing Speaking Skills' project, the Welsh and French teachers selected classes that they both taught as the project classes. They used similar activities such as raps, songs and sketches to increase confidence and improve fluency in both languages. In Year 7, pupils combined the freshness of French, a new language, with the experience of having already learned Welsh for six years, and the pupils' performance and development in both languages benefited enormously from a combined approach.

It is often the case that an activity planned to develop one set of skills such as communication skills will, in fact, meet many more of the common requirements.

The head of science in an urban secondary school attended training on 'Literacy within Science' and reported back to the department. The teachers saw the value of several new techniques emphasising communication skills and included these in schemes of work; they identified opportunities for using them and these became a regular part of work in class. For example, pupils now read the requirements for tasks together in groups and then plan their approach through discussion before reporting back orally to the class and the teacher about their decisions. This simple sequence of activities provides opportunities for the development of personal and social, creative and problem-solving skills, though communication skills were the initial focus. The department also places stress on glossary work, ensuring that pupils understand, can spell and are confident to use subject-specific terminology.

There are other opportunities to support communication skills outside timetabled lessons, for example, through the use of the library and initiatives to promote wider personal reading.

As part of its planning for the promotion of reading, a Welsh-medium primary school has regularly entered teams of pupils for the annual Welsh Books Quiz. However, staff realised that the external quiz largely benefited the best readers who were selected to represent the school. It was therefore decided to introduce an internal books quiz where all pupils in KS2 were allocated to teams and the quiz was held once per term. These opportunities for participation have been included in the school's communication development plan. The school has observed an increase in library book borrowing amongst KS2 pupils since the start of the initiative and a consequent increase in pupils' wider reading.

Paired reading is another activity that promotes communication skills, most frequently in secondary schools where senior pupils often work with those in Year 7 in regular timetabled sessions organised on a whole school basis. This link with an older pupil has other benefits for a Year 7 pupil, supporting the development of personal skills and helping him/her to integrate into a new environment. But primary schools can also organise paired reading with similar results.

One primary school has decided to extend the practice of listening to KS1 pupils reading aloud by using older pupils. On two mornings each week, Year 5 and Year 6 pupils pair with children in Reception and Year 1 for fifteen minutes at the start of the day. The older pupils received some guidance about how to read with their partners and about the importance of talking about what has been read both during the story and at the end. The younger pupils read aloud to the older ones and talk about books with them. Reception and Year 1 teachers have reported a perceived improvement in their pupils' reading performance, and the school is intending to monitor closely the standards attained in the statutory KS1 assessments. There has also been an improvement in the personal and social skills of the Year 5 and Year 6 pupils who relish this responsibility and take their duties very seriously.

In one bilingual comprehensive school, a long-established language policy has evolved over a period of time and is linked to the agreed language policy for the school's catchment area in which a long-term objective is to achieve:

- *a situation where each pupil is able to discuss the different subjects in two languages and that, in turn, will reinforce the child's understanding of these subjects...*

In this school, primary/secondary links play an important part in establishing pupils' linguistic needs. Relevant information is collected prior to entry to the school by means of reports from the partner primary schools and from visits undertaken by the deputy head. Based on this information, a profile of each pupil is written which identifies those who will need help with Welsh and/or English and specifies the nature of that help. A further annual assessment updates that profile. Termly discussion also takes place between primary schools and subject departments, including English and Welsh separately, to discuss the KS2 and KS3 curriculum.

The language policy is an intrinsic and central element of the teaching and learning process and is systematically monitored. Technical vocabulary is often presented in Welsh and English at the beginning of lessons. The teachers' use of language models the use of appropriate language registers and is designed both to develop pupils' subject understanding and to extend their language repertoire. In mathematics, for example, the teaching of alternate modules in the medium of Welsh and English respectively helps pupils, over time, to become familiar with terminology and to address the main concepts of the subject through the medium of both languages. A major strength of the school's planning is the way in which linguistic development and effective teaching methods are integrated.

A particular feature of Welsh-medium education is that pupils often read source material in English and apply the knowledge gained through the medium of Welsh. These dual-language skills are different from translating as they require the ability to summarise, draw conclusions, select what is important and then produce original language while avoiding the trap of too literal a translation.

One bilingual secondary school decided to have a special focus on dual-language skills for one term in Year 8. Pupils had additional Internet facilities provided in history, geography and Welsh lessons during that term in order to search for information in English. They were then asked to summarise the information and record the relevant points in Welsh. The school judges that this practice has equipped pupils better to deal with the demands of using English source material during course work in later years in a range of subjects across the curriculum.

For pupils with learning difficulties, communication will usually be a priority target within the Individual Education Plan (IEP).

A KS2 pupil with severe learning difficulties working on early communication skills was beginning to respond to various stimuli using different facial expressions. In order to develop this, his teacher planned to offer him experience of a range of different textures. This target was addressed in art, design and technology, geography, history and science using a wide range of materials and artefacts.

In one special school, the target for a KS3 pupil was to carry out a two-step instruction, given verbally, supported by sign and gesture. All staff were aware of this target so that it could be addressed in all subject areas.

Mathematical skills

It is probably true in most schools that the relevance of mathematical skills to a wide range of subjects is less appreciated than that of communication skills. Consequently, opportunities for their delivery across subject areas may not be as evident and careful planning is necessary. Heads of department in secondary schools often need guidance from a specialist about how they can incorporate mathematical skills into their schemes of work.

One secondary school where teaching had been very compartmentalised has 'opened up' subject areas following the nomination of the second in the mathematics department as school coordinator for mathematical skills. For example, the geography department has amended the Year 8 study of Italy from being largely descriptive to use mathematical skills in analysing population figures for different cities and for the country during the twentieth century to illustrate population movement. Modern foreign languages has extended its Year 8 unit on handling money to include more commercial transactions, dealing with numbers through the medium of French. These opportunities now figure in the schemes of work in these subjects.

There is often more confidence about the development of mathematical skills in primary and special schools, because the subjects are usually taught by the same teacher.

A rural primary school carried out a project in Year 5 on 'Following the River'. Pupils needed a range of mathematical skills such as: the ability to record the number of vehicles crossing a bridge over the river; dividing that into types of vehicle; projecting results to figures for a week, month and a year, and producing bar charts of results; measuring width and depth of the river and the temperature of the water at different times; and presenting the results in different forms. All these opportunities were explicitly included in lesson planning. Another project at the same school involved planning and making bird boxes. Mathematical skills were essential for planning and measuring the dimensions of materials.

A small number of KS2 pupils in a special unit were learning to count to ten. This was reinforced in registration and at break times and counting was introduced into subject lessons. For one pupil with Autistic Spectrum Disorder (ASD), who particularly liked round objects, this additional element was also incorporated whenever possible.

Information technology skills

All the schools visited during the research project drew a distinction between introducing/teaching an IT skill, and rehearsing and developing it. One teacher interviewed explained as follows:

'What we've done is put together a curriculum map for IT so that there are specific IT skills that have to be taught within each year group. Those skills are taught and then incorporated into the other curriculum areas. So perhaps copy and paste is a skill that's taught in IT – that's your IT teacher. But then pupils can apply the copy and paste activity to other subjects. So perhaps in history you think, 'Oh well, if pupils are creating a poster they can use the copy and paste skill effectively'. If IT didn't teach how to cut and paste, so much time would be taken up in the history lesson showing the pupils what to do that the focus of the history lesson could be lost.'

Information technology is possibly the area where non-specialists have the least confidence in integrating the skills into their teaching. But it is also the area where many pupils have more developed skills than their teachers. The establishment and implementation of a school policy therefore calls for a considered and sensitive approach that helps teachers to make best use of pupils' skills while continuing to develop their own.

Equipping pupils with IT skills is increasingly seen as helping them to gain independence in their learning. It is a way of empowering even the youngest pupils to manage their own information needs and to process that information in a way that suits them. It also requires teachers to place trust in their pupils to use school facilities at times convenient to the pupils, such as before and after school and during the lunch break. The development of IT skills thus implies the creation of learning relationships at school which go beyond what has traditionally been the norm.

A secondary school, which took part in the 'Languages in Action' project initiated the production of a regular bilingual newsletter created during the lunch time French club. Pupils word process their articles, produce the magazine using a publishing package and use the scanner and digital camera to illustrate the text. As well as reinforcing IT skills, this project has increased both motivation and uptake in languages.

The development of IT skills is often of particular importance to pupils with learning difficulties/disabilities. Such pupils may be dependent on IT for all their communication and these skills need to be taught, developed and generalised across the curriculum.

Personal and social skills

The PSE programme in schools is planned to help pupils develop the full range of personal and social skills discussed in the ACCAC PSE Framework and Supplementary Guidance documents. But this, more perhaps than any other skills area, is relevant to every lesson – in fact, to every activity that goes on in schools. For example, every time pupils work together, empathise with others, resist unwanted peer pressure and resolve problems they are providing evidence of the increasing maturity that characterises good personal and social skills.

PSE lessons can also be a means of promoting the other required skills.

The PSE coordinator in one secondary school meets the heads of year regularly to plan the PSE programme for the following year for KS3 and KS4. He now includes the staff responsible for communication and mathematical skills in these meetings. PSE units are devised in order to identify opportunities for particular language and mathematical skills which are then presented in a PSE context. Class teachers provide feedback to the relevant coordinators on the success of these units, which are then revised for the following year.

In the primary sector, PSE programmes may not be so clearly timetabled but designated PSE teaching activities can also develop skills. Examples might be focusing on saving and spending pocket money for which mathematical skills are necessary, or using IT skills to search the Internet for information on healthy eating.

Pupils with learning difficulties may need particularly focused teaching to learn to interact and develop appropriate interpersonal skills. Pupils with ASD may need specific teaching to help them identify, label and deal with emotions such as sadness and anger. Targets set in pupils' Individual Behaviour Plans (IBPs) and Pastoral Support Plans (PSPs) may be addressed in PSE lessons but will need also to be included in all subject lessons to ensure a consistent approach.

Organising training

Training for the implementation of skills policies should form part of the wider professional development programme in a school. Whether externally or internally provided, skills training will probably include:

- raising staff awareness of the importance of progression in skills acquisition and application
- training staff to plan for skills progression
- raising teachers' personal competence in individual skills
- presenting and discussing ways of monitoring and assessing pupils' progress.

In raising staff awareness of the issues, LEAs and other INSET courses can play a useful role. Where schools engage in the issues themselves, the school audit may be a crucial part of initial training.

One Welsh-medium secondary school was concerned after an initial audit showed a lack of consistency across departments in the provision of opportunities for using language across the curriculum. As a first step, the senior management team decided to raise staff awareness of communication skills through informal discussions at staff meetings. At a subsequent day's INSET, all staff discussed the school's performance data and then took part in an analysis of pupils' written work, identifying strengths and weaknesses. The day continued with reference to *Pwnc Iaith – Iaith Pwnc (The Subject of Language)* (Cen Williams, 1994) and a final discussion of the question, 'What is our department doing about pupils' communication skills?'

Discussion was lively and agreement emerged on ways to achieve both common approaches across the curriculum and also greater consistency in the monitoring and assessment of skills. The school's Communication Group initially drew up policies on marking and on the content and use of worksheets. The school went on to provide more detailed training about developing the full range of communication skills, using its own language experts from the relevant departments within the school. Other departments were then ready to build opportunities for communication into their own schemes of work.

Schools have discovered that INSET that targets discrete skills in specific contexts can be especially useful in helping teachers to maximise possible teaching opportunities for applying skills. For example, courses on the development of communication skills through science or the application of IT in mathematics lessons can raise performance both in the skill and in the subject.

A group of North Wales LEAs arranged INSET for secondary heads of department on the use of Cognitive Acceleration in Science Education (CASE) activities in science. Several schools have now successfully incorporated such activities into their schemes of work and they report an improvement in pupils' thinking skills and their approach to creative problem-solving. As a result, schools are now using the CASE techniques in other subjects such as mathematics.

Monitoring and evaluation

It is the task of the whole school coordinator to monitor the skills programme in the school. This includes checking that:

- the whole school curriculum contains a comprehensive coverage of all the required skills
- a range of opportunities has been identified across the curriculum for the development and application of these skills
- the opportunities provided present an increasing challenge for pupils at all levels
- teachers are clear about which skills pupils are required to use and at what times
- the opportunities planned are actually implemented
- staff expertise is sufficient to allow them to help pupils develop the required skills
- resources are sufficient to allow the programme to be implemented.

There is no one way to do this and schools will use and adapt their own ongoing procedures as for the monitoring of any whole school initiative.

Individual skills coordinators will have a similar task but will, of course, focus on their own particular responsibility. In many schools, particularly secondary schools, they will carry out the initial check regarding their skills area and report to the whole school coordinator. Secondary heads of department and curriculum leaders in primary and special schools will also have a responsibility to include the monitoring of required skills in their normal monitoring programme and their findings will, in turn, feed into the skills coordinator's report.

Evaluation is a different and more fundamental process and will probably take place at senior management level. It needs to consider whether the programme itself has been successful, whether it has achieved its aims and whether, in part or as a whole, it needs to be reviewed and changed. Schools may wish to check performance against a set of success criteria that they themselves have designed to fit the particular circumstances of the school.

Monitoring and assessing pupils' progress

In deciding whether a programme is effective, the school needs primarily to consider the effects on pupils' learning and on standards achieved.

For communication, mathematical and IT skills, assessment of pupils' skills competence will be closely related to the definitions of progression outlined in the programmes of study and the level descriptions of the associated subjects. It will not, however, be only the teachers in these departments who assess pupils' progress. Teachers in all subject areas need to have not only a clear idea of standards within their own subject but also an understanding of the expectations of the school regarding the required skills. They will then be able to make decisions about the ways pupils apply skills and to feed this information into the school's assessment system.

Where teachers already keep school portfolios of pupils' work to illustrate standards, much of that material can also be used as evidence of progression in the required skills. Such portfolios can also be used as benchmarking resources by teachers of other subjects to give them a clear indication of what constitutes, for example, a coherent and well-expressed piece of factual writing in terms of English/Welsh skills. Clear criteria are available in these subjects, as in mathematics and IT, and it is important that all staff are familiar with these criteria.

The assessment of creative and problem-solving skills depends on subject-specific and task-specific criteria. For example, an object created within the area of design and technology will be assessed by such factors as:

- appropriate choice of material – based on pupils' knowledge of materials
- production skills – based on the way pupils manipulate tools
- fitness for purpose – based on the original specification for the object.

However, there may be common criteria for the process of undertaking a creative or problem-solving task that are applicable across the curriculum. These might include the pupils' ability to:

- apply an increasingly sophisticated repertoire of skills
- arrive at viable solutions more quickly and reject inappropriate options more readily
- become more efficient at appraising the strengths and weaknesses of their own and others' solutions/outcomes/creations
- build on and develop their own creative ideas
- suggest their own areas of investigation and their own ideas for products.

In their planning, it is essential that teachers identify clear objectives, including objectives for skills, and that ideally they share these with pupils. The teacher can then assess against these objectives and gauge the measure of success achieved. If pupils are also aware of objectives and success criteria, they too will be well-placed to develop their ability to assess their own performance. This process will be helped if time for a plenary session is provided at the end of individual lessons when pupils can review what they have learned and identify what they need to do to improve their performance. Some schools provide their pupils with a check list of skills in various areas which can be used as appropriate and which often contain a section where teachers can verify pupils' attainment. Whatever the method, it is increasingly clear that pupils' ability to assess their own performance is a vital and powerful skill in itself and one that must be encouraged.

For pupils with SEN, learning targets will be set in Individual Education Plans (IEPs). It is particularly important for these pupils that skills learned are generalised, used in a variety of contexts, and reinforced in a variety of situations. All staff should be aware when new targets are set so that this knowledge can inform the differentiation of lessons. For pupils with severe learning difficulties (SLD)/complex needs, progress in these cross-curricular skills may well take precedence over progress in subject-specific skills, knowledge and understanding.

As with all assessment, the real value of assessing skills lies in making explicit to pupils, parents and teachers the point pupils have reached, their strengths and weaknesses and the subsequent way forward. It is hoped that this guidance will help schools in this work.

Developing skills within the curriculum and assessment framework

As pupils move from pre-compulsory school age education through to the end of Key Stage 4, they should develop and be given opportunities to apply a range of important skills. These skills help prepare them for the opportunities, responsibilities and experiences of adult and working life – for example to be able to communicate effectively, work with number, use Information Technology and solve problems.

Figure 7: The Development of Skills

Desirable Outcomes	**Language, Literacy and Communication Skills** Children are given experiences which help them to listen and respond to stories and songs; express needs and opinions and make choices; develop pre-reading skills; and use marking implements	**Mathematical Development** Children are given experiences which help them to acquire and use mathematical language about shape, position, size and quantity; recognise basic patterns; sort, match, order, sequence, compare and count familiar objects; and begin to recognise numbers
National Curriculum common requirements	**Communication Skills** Pupils develop and apply their skills of speaking, listening, reading, writing and expressing ideas through a variety of media	**Mathematical Skills** Pupils develop and apply their knowledge and skills of number, shape, space and measures and handling data
Key Skills units in the National Qualifications framework	**Communication** Students learn, select and apply the communication skills needed when taking part in discussions, including making oral reports and presentations; reading and responding to written material, including images; producing written material	**Application of Number** Students learn, select and apply the number skills needed when interpreting information from different sources, carrying out calculations, interpreting results and presenting findings

These skills overarch individual subject areas. Many of these skills are introduced to under-fives through the areas of learning and experience set out in the *Desirable Outcomes for Children's Learning before Compulsory School Age* (ACCAC, 2000). They are then developed first, through the National Curriculum and later, through qualifications at Key Stage 4.

Figure 7 shows the links between the range of skills set out in various documents.

Information Technology

(within Knowledge and Understanding of the World)

Children are given experiences which help them to begin to understand the use of a variety of information sources, for example information technology

Personal and Social Development

Children are given experiences which help them to feel confident and be able to form relationships; demonstrate care, respect and affection for others; concentrate for lengthening periods; and acquire basic life skills such as dressing themselves

Problem-Solving

(within Knowledge and Understanding of the World)

Children are given experiences which help them to begin to find out about outcomes, problem-solving and decision-making

Information Technology Skills

Pupils develop and apply their IT skills to obtain, prepare, process and present information and to communicate ideas with increasing independence

Personal and Social Education

Pupils develop and apply the attitudes, values, skills, knowledge and understanding relating to personal and social education

Problem-Solving Skills

Pupils develop and apply their skills of asking appropriate questions, making predictions and coming to informed decisions

Information Technology

Students learn, select and apply the IT skills needed to find, explore, develop and present information, including text, images and numbers

Improving own Learning Performance

Students learn, select and apply the skills needed when setting targets and planning action, following the plan to meet targets, and then reviewing progress and achievements

Working with Others

Students learn, select and apply the skills needed in planning and confirming activities with others, working with others towards identified targets, identifying progress and suggesting improvements

Problem-Solving

Students learn, select and apply the problem-solving skills needed when identifying problems, planning and trying out optional solutions, applying options and checking success

Extract from *The School Curriculum in Wales*, ACCAC, 2000

Terminology and definitions

Source and terminology used	Definitions and/or description of the skills to be taught	Assessing skills and recognising achievements
***Desirable Outcomes for Children's Learning Before Compulsory School Age* (ACCAC)**		**Baseline assessment**
	Children are given experiences that help them to:	Assessment of pupils in Reception class (or in Year 1 if this is when pupils first start school) in:
• Language, Literacy and Communication Skills	• listen and respond to stories and songs; express needs and opinions and make choices; develop pre-reading skills; and use marking implements	• Language skills – consisting of listening and communication, listening and responding to stimuli, reading and writing
• Mathematical Development	• acquire and use mathematical language about shape, position, size and quantity; recognise basic patterns; sort, match, order, sequence, compare and count familiar objects; and begin to recognise numbers	• Mathematical skills – consisting of number and mathematical language, size, shape and space
• Information Technology	• begin to understand the use of a variety of information sources, for example information technology	• Personal and social skills.
• Personal and Social Development	• feel confident and be able to form relationships; demonstrate care, respect and affection for others; concentrate for lengthening periods; and acquire basic life skills such as dressing themselves	
• Problem-Solving (within Knowledge and Understanding of the World)	• begin to find out about outcomes, problem-solving and decision-making	
• Creative Development	• develop their imagination and creativity and their ability to express it.	

Source and terminology used	Definitions and/or description of the skills to be taught	Assessing skills and recognising achievements
Common Requirements in the National Curriculum Subject Orders (ACCAC)		**Ongoing and statutory teacher assessment and statutory tasks and tests**
	Pupils develop and apply:	Ongoing teacher assessment takes place informally and formally throughout each year. Teachers record pupils' achievements and schools are required to report pupils' progress in subjects and activities.
• Communication Skills	• their skills of speaking, listening, reading, writing and expressing ideas through a variety of media	
• Mathematical Skills	• their knowledge and skills of number, shape, space and measures and handling data	
• Information Technology Skills	• their IT skills to obtain, prepare, process and present information and to communicate ideas with increasing independence	At the end of each key stage, in Year 2, Year 6 and Year 9 pupils are assessed by statutory teacher assessment and, in Year 6 and Year 9, by tasks/tests in:
• Personal and Social Education	• the attitudes, values, skills, knowledge and understanding relating to personal and social development	• English and/or Welsh • mathematics In Year 9 pupils also receive a statutory teacher assessment in IT.
• Problem-Solving Skills	• their skills of asking appropriate questions, making predictions and coming to informed decisions	Assessment in other subjects also recognises achievement in the common requirements.
• Creative Skills	• their creative skills, in particular the development and expression of ideas and imagination.	Achievements in the common requirements can also be recognised in the Progress File.

Source and terminology used	Definitions and/or description of the skills to be taught	Assessing skills and recognising achievements
Key Skills Qualifications (ACCAC, QCA and the Awarding Bodies)		**Key Skills units**
	Students learn, select and apply the:	Awards are available in each of the six Key Skills at Levels 1, 2 and 3. Communication, Application of Number and Information Technology are available as national qualifications with both internal and external assessment. The second three, often refered to as the 'wider key skills', sit outside the National Qualifications Framework are certificated on the basis of internal assessment only. Achievements in the Key Skills can also be recognised in the Progress File.
• Communication	• communication skills needed when taking part in discussions, including making oral reports and presentations; reading and responding to written material, including images; producing written material	
• Application of Number	• number skills needed when interpreting information from different sources, carrying out calculations, interpreting results and presenting findings	
• Information Technology	• IT skills needed to find, explore, develop and present information, including text, images and numbers	
• Improving Own Learning and Performance	• skills needed when setting targets and planning action, following the plan to meet targets, and then reviewing progress and achievements	
• Working with Others	• skills needed in planning and confirming activities with others, working with others towards identified targets, identifying progress and suggesting improvements	
• Problem Solving	• problem solving skills needed when identifying problems, planning and trying out optional solutions, applying options and checking success.	

Source and terminology used	Definitions and/or description of the skills to be taught	Assessing skills and recognising achievements
Key Skills in the *Handbook for the Inspection of Schools* (Estyn, 2000)		
	Pupils:	
• Speaking	• speak clearly and audibly, adapting speech to a range of circumstances and demands	**Inspection reports** for individual school report on the standards achieved and progress made across the curriculum in each of the key skills.
• Listening	• listen to others and respond appropriately to what they say	**Inspection surveys** periodically report on standards achieved and progress made across Wales.
• Reading	• read accurately, expressively and with understanding from a variety of sources	
• Writing	• write coherently, fluently and accurately for a range of purposes	
• Numeracy	• use, apply and interpret numerical and statistical data presented in a variety of forms	
• Use of information and communications technology	• use a range of information and communications technology for diverse purposes.	

Source and terminology used	Definitions and/or description of the skills to be taught	Assessing skills and recognising achievements
Literacy and Numeracy in the *Frameworks for Action* in Primary Schools (National Assembly for Wales and Estyn)		
• Literacy	Literacy in English and in Welsh is about enabling pupils to read a wide range of material with confidence, accuracy and enjoyment, to communicate effectively in speech and writing and to listen with understanding.	
• Numeracy	Numeracy is a proficiency with number that enables pupils to use flexible and effective methods of computation and recording and to apply them with confidence and understanding.	

Source and terminology used	Definitions and/or description of the skills to be taught	Assessing skills and recognising achievements
Basic Skills (Basic Skills Agency)		
• Literacy	The ability to read, write and speak in English (or in Welsh for people whose first language is Welsh).	**Quality Mark for Basic Skills in primary schools** – awarded to schools meeting the ten elements of the Quality Mark.
• Numeracy	The ability to use mathematics at a level to function and progress at work and in society in general.	**Quality Mark for Basic Skills in secondary schools** – awarded to schools meeting the ten elements of the Quality Mark.

Useful publications and website addresses

Appendix 3

ACCAC

Desirable Outcomes for Children's Learning before Compulsory School Age, 2000

The School Curriculum in Wales, 2000

Personal and Social Education Framework, Key Stages 1–4 in Wales, 2000

Personal and Social Education: Supplementary Guidance, 2000

INSET Activities for Developing Higher Order Reading Skills at KS2, 1996

Datblygu Uwch-Sgiliau Darllen Cymraeg yng Nghyfnod Allweddol 2: Pecyn HMS, 1996

INSET Activities for Developing Number Skills in Mathematics at KS2, 1996

Optional Assessment Materials for English at Key Stage 2, 1999

Optional Assessment Materials for English at Key Stage 3, 2000

Optional Assessment Materials for Welsh at Key Stage 2, 2001

Optional Assessment Materials for Welsh at Key Stage 3, 2002

Optional Assessment Materials for Mathematics at Key Stage 2, 2002

Optional Assessment Materials for Mathematics at Key Stage 3, 2002

Optional Assessment Materials for Information Technology at Key Stage 2, 2002

Asking Questions, Getting Answers: Report of a research project on whole school language policies in the secondary schools of Wales, 1999

Asking Questions, Getting Answers: Whole School Approaches to Developing IT Capability, 1999

A Structure for Success – Guidance on the National Curriculum and Autistic Spectrum Disorder, 2000

Challenging Pupils: Enabling Access – Meeting the Curriculum Needs of Pupils with Emotional and Behavioural Difficulties, 2000

ACCAC, Castle Buildings, Womanby Street, Cardiff CF10 1SX
Telephone: 029 2037 5400
Fax: 029 2034 3612
E-mail: info@accac.org.uk
Website: www.accac.org.uk

Estyn

Framework for the Inspection of Schools, Revised 2000

Handbook for the Inspection of Schools, Revised 2000

The Annual Report of Her Majesty's Chief Inspector of Education and Training in Wales 2000–2001

Raising Standards of Reading in Primary Schools, 1999

Raising Standards of Writing in Primary Schools, 2001

Raising Standards of Spelling in English in Primary Schools, 2001

Standards and Quality in Primary Schools: Planning through topic work in Key Stages 1 and 2, 2000

Standards and Quality in Primary Schools: IT and the Final Evaluation of the WOMPI Project, 1999

Standards and Quality in Primary Schools: Subject Leaflets, 2001

Primary and Secondary School Partnership: Improving Learning and Performance, 1999

Standards and Quality in Secondary Schools: Subject Leaflets, 2001

Aiming for Excellence in Provision for Special Educational Needs, 2001

Estyn, Anchor Court, Keen Road, Cardiff CF24 5JW
Telephone: 029 2044 6446
Fax: 029 2044 6448
E-mail: enquiries@estyn.gsi.gov.uk
Website: www.estyn.gov.uk

National Assembly for Wales

Raising Standards of Literacy in Primary Schools: A Framework for Action in Wales, Welsh Office/OHMCI, 1998

Raising Standards of Numeracy in Primary Schools: A Framework for Action in Wales, Welsh Office/OHMCI, 1999

The National Basic Skills Strategy for Wales, 2001

The National Assembly for Wales, Cathays Park, Cardiff CF10 3NQ
Telephone: 029 2082 5111
E-mail: education.publications@wales.gsi.gov.uk
Website: www.wales.gov.uk

The Basic Skills Agency

Basic Skills Agency Quality Mark for Primary Schools, 1996

Basic Skills Agency Quality Mark for Secondary Schools, 1996

Literacy and Numeracy Skills in Wales, 1997

The Basic Skills Agency, Commonwealth House, 1–19 New Oxford Street, London WC1A 1NU
Telephone: 020 7405 4017
Fax: 020 7440 6626
E-mail: enquiries@basic-skills.co.uk
Website: www.basic-skills.co.uk

Other

Key Skills:
Implementation needs in schools and colleges, School of Education, University of Cambridge, 2000

Delivering Key Skills Effectively, DfEE research report (RBX 10/00)
Website: www.dfes.gov.uk/research/

Developing Speaking Skills, CILT, 1999
Website: www.cilt.org.uk

Pwnc Iaith – Iaith Pwnc, Cen Williams, Canolfan Bedwyr, Prifysgol Bangor, 1994
Telephone: 01248 383293
Fax: 01248 383293
Website: www.bangor.ac.uk/ar/cb/cb.htm

Acknowledgements

ACCAC is grateful to the team from NFER who carried out the research. The team members were: Felicity Fletcher-Campbell, Robat Powell and Jane Nicholas.

ACCAC would also like to thank the many teachers, schools and others who have helped in the development of this guidance.

Abercanaid Primary School, Abercanaid

Beaufort Hill Primary School, Ebbw Vale

Brynteg Primary School, Wrexham

Glyncoed Comprehensive School, Ebbw Vale

John Summers High School, Queensferry

Lampeter Comprehensive School, Lampeter

Lliswerry High School, Newport

Maendy Primary School, Cwmbran

Marshfield Primary School, Newport

Pen-y-dre High School, Merthyr Tydfil

Radnor Valley Primary School, New Radnor

St Cenydd Comprehensive School, Caerphilly

Trinity Fields Special School, Ystrad Mynach

Ysgol y Bryn Special School, Shotton

Ysgol y Gorlan, Tremadog

Ysgol Gyfun Maes-yr-Yrfa, Llanelli

Ysgol Gymraeg Castellau, Pontypridd

Ysgol Llangynfelyn, Taliesin

Ysgol Santes Gwenfaen, Holyhead

Ysgol Syr Thomas Jones, Amlwch

Ysgol Tryfan, Bangor

Acknowledgements

Notes

Contents

Introduction

The ability to use a range of skills effectively is crucial to every learner from early years, through statutory education and into life-long learning. We all need to communicate, to use mathematical, creative and problem-solving skills, to benefit from the use of information technology and to develop personal and social skills.

The National Curriculum in Wales includes a list of **common requirements**, the majority of which relate to such skills. These are the skills that all pupils need for all their learning across the whole curriculum. They are generic, cross-curricular and transferable. They apply across all key stages, in all subjects in both mainstream and special schools. It is these skills that are the focus of this booklet.

The booklet is intended to provide guidance to support curriculum managers in schools and local education authorities. It aims to:

- help schools identify opportunities for the development and application of skills across the curriculum
- help coordinate the planning and organisation of skills work in schools
- help schools to achieve progression in pupils' acquisition and use of skills over the whole continuum of education.

The booklet comes as a response to requests from schools for guidance about the skills identified in the common requirements and their relationship with other sets of skills referred to by other organisations and agencies. It is not intended to be prescriptive or to impose additional burdens on schools. In fact, much of the necessary work is already going on in schools and this guidance suggests ways of consolidating and extending current initiatives. The size and type of school and the way it is managed and organised will, of course, influence the way schools use this guidance. Schools work in different ways but, in most cases, this whole school focus on a broad range of skills for learning could readily be accommodated within existing procedures.

Cynnwys

Cyflwyniad

Mae'r gallu i ddefnyddio ystod o sgiliau mewn modd effeithiol yn hanfodol i bob dysgwr o oed cynnar, trwy addysg statudol hyd at ddysgu gydol oes. Mae pawb angen cyfathrebu, defnyddio sgiliau mathemategol, sgiliau creadigol a datrys problemau, elwa ar y defnydd o dechnoleg gwybodaeth a datblygu sgiliau personol a chymdeithasol.

Mae'r Cwricwlwm Cenedlaethol yng Nghymru yn cynnwys rhestr o **ofynion cyffredin**, ac mae'r mwyafrif ohonynt yn berthnasol i sgiliau o'r fath. Y rhain yw'r sgiliau mae pob disgybl eu hangen ar gyfer dysgu ar draws y cwricwlwm cyfan. Maent yn generig, yn draws-gwricwlaidd ac yn drosglwyddadwy. Maent yn gymwys ar draws pob cyfnod allweddol, ym mhob pwnc mewn ysgolion prif ffrwd ac ysgolion arbennig. Mae'r llyfryn hwn yn canolbwyntio ar y sgiliau hyn.

Bwriad y llyfryn yw darparu canllawiau i gefnogi rheolwyr cwricwlwm mewn ysgolion ac awdurdodau addysg lleol. Ei nod yw rhoi:

- cymorth i ysgolion adnabod cyfleoedd ar gyfer datblygu a chymhwyso sgiliau ar draws y cwricwlwm
- cymorth i gydlynu cynllunio a threfnu gwaith sgiliau mewn ysgolion
- cymorth i ysgolion gyflawni dilyniant yn y modd y mae disgyblion yn ennill ac yn defnyddio sgiliau dros y continwwm addysg cyfan.

Mae'r llyfryn yn ymateb i geisiadau gan ysgolion am ganllawiau ar gyfer y sgiliau a ddangosir yn y gofynion cyffredin ynghyd â'u perthynas â setiau eraill o sgiliau y cyfeirir atynt gan fudiadau ac asiantaethau eraill. Nid rhagnodi na gosod baich ychwanegol ar ysgolion yw ei fwriad. Mewn gwirionedd, mae llawer o'r gwaith angenrheidiol yn digwydd eisoes mewn ysgolion ac mae'r canllawiau hyn yn awgrymu ffyrdd o gadarnhau ac ehangu mentrau cyfredol. Bydd maint a math yr ysgol ynghyd â'r dull o'i rheoli yn amlwg yn dylanwadu ar y modd y defnyddir y canllawiau yn yr ysgol. Mae ysgolion yn gweithio mewn gwahanol ffyrdd ond, yn y mwyafrif o achosion, mae'n bosibl cymhwyso'r math hwn o ffocws ysgol gyfan i'r ystod eang o sgiliau dysgu o fewn y gweithdrefnau cyfredol.

Cyfleoedd i ddatblygu a chymhwyso sgiliau ar draws y cwricwlwm

Pa sgiliau?

Mae'r **gofynion cyffredin** o fewn y Cwricwlwm Cenedlaethol yng Nghymru yn cynnwys chwe maes sgiliau.

Maes sgiliau	**Bydd disgyblion yn datblygu a chymhwyso:**
Sgiliau Cyfathrebu	eu sgiliau llafar, gwrando, darllen, ysgrifennu a mynegi syniadau mewn amryw o gyfryngau
Sgiliau Mathemategol	eu gwybodaeth a'u sgiliau'n ymwneud â rhif, siâp, gofod, mesur a thrin data
Sgiliau Technoleg Gwybodaeth	eu sgiliau TG i ddarganfod, paratoi, prosesu a chyflwyno gwybodaeth ac i gyfathrebu syniadau yn fwy annibynnol
Sgiliau Datrys Problemau	eu sgiliau o ofyn cwestiynau addas, o wneud rhagfynegiadau ac o gyrraedd canlyniadau deallus
Sgiliau Creadigol	eu sgiliau creadigol, yn arbennig datblygu a mynegi syniadau a dychymyg
Addysg Bersonol a Chymdeithasol	agweddau, gwerthoedd, sgiliau, gwybodaeth a dealltwriaeth sy'n gysylltiedig ag Addysg Bersonol a Chymdeithasol.

Mae gan yr holl staff gyfrifoldeb dros roi cymorth i ddisgyblion ddatblygu'r sgiliau hyn o'r Blynyddoedd Cynnar hyd at ddiwedd Cyfnod Allweddol 4 a thu hwnt fel bod y disgyblion yn barod ar gyfer cyfleoedd, cyfrifoldebau a phrofiadau bywyd fel oedolion a gweithwyr. Cyflwynir y sgiliau yn y *Canlyniadau Dymunol i Ddysgu Plant Cyn Oedran Addysg Orfodol*, ACCAC, 2000, ac fe'i datblygir trwy'r Cwricwlwm Cenedlaethol a chymwysterau Cyfnod Allweddol 4. Dangosir y continwwm yn **Atodiad 1**.

Ar hyn o bryd, defnyddia gwahanol fudiadau ac asiantaethau (e.e. yr Asiantaeth Sgiliau Sylfaenol, Estyn, Cyrff Dyfarnu) wahanol dermau i gyfeirio at y sgiliau. Ceir manylion pellach ynglŷn â'r eirfa a'r diffiniadau a ddefnyddir ynghyd â'r ffyrdd o asesu a chydnabod cyflawniad y sgiliau a ddisgrifir yn **Atodiad 2**.

Mae gan y tri maes sgiliau cyntaf yn y tabl uchod gysylltiadau agos â'r gorchmynion pwnc ar gyfer Cymraeg/Saesneg, mathemateg a thechnoleg gwybodaeth, ac yma mae'r gwaith sylfaenol yn digwydd. Bydd pynciau eraill yn rhoi cyfleoedd i ddisgyblion ymarfer, cadarnhau a choethi'r sgiliau mewn cyd-destunau go iawn ac i bwrpas go iawn. Yn wir, gall disgyblion sydd angen sgil penodol – sgil mathemategol mewn gwers ddaearyddiaeth o bosibl – gael mwy o ysgogiad i ddatblygu'r sgil oherwydd iddynt ganfod gwir berthnasedd a phwrpas i'r sgil hwn.

Mae'r mwyafrif o bynciau yn cynnig cyfleoedd i ddatblygu sgiliau creadigol a datrys problemau. Mae addysg bersonol a chymdeithasol yn cynnwys ystod o sgiliau sydd wedi eu hamlinellu yn y *Fframwaith Addysg Bersonol a Chymdeithasol Cyfnodau Allweddol 1 i 4 yng Nghymru*, ACCAC, 2000, ac *Addysg Bersonol a Chymdeithasol: Canllawiau Atodol*, ACCAC, 2000.

Mae'r chwe gofyniad cyffredin yn hanfodol er mwyn i ddisgyblion ddysgu. Gellir gweld archwiliadau o'r gofynion cyffredin ar safwe ACCAC ac maent yn rhestru'r holl fannau lle mae symbolau pob un o'r gofynion cyffredin yn ymddangos ym mhob gorchymyn pwnc. Fodd bynnag, mae'r gwaith a wnaed ar bob maes sgil yn amrywio'n fawr rhwng gwahanol ysgolion, AALl a mudiadau cenedlaethol eraill.

Bu'r gwaith diweddar ar lythrennedd a rhifedd mewn ysgolion cynradd, sydd bellach yn symud i Gyfnod Allweddol 3, o gymorth i ysgolion ganolbwyntio ar ddatblygu a chymhwyso sgiliau sy'n gymorth i ddisgyblion weithio'n fwy effeithiol mewn pynciau eraill. Mewn gwirionedd, bu polisi gwella sgiliau iaith yn rhan o gynlluniau llawer o ysgolion ers rhai blynyddoedd, yn arbennig ysgolion uwchradd. Mae datblygu gallu disgyblion i ddarllen yn ddeallus, i ysgrifennu gyda strwythur addas a chywirdeb ac i gymryd rhan mewn gwaith llafar rhyngweithiol yn amlwg yn fuddiol ym mhob maes o'r cwricwlwm. Yn ychwanegol, mae codi ymwybyddiaeth athrawon o rôl iaith mewn dysgu yn profi'n effeithiol oherwydd ei fod yn eu cynorthwyo i feddwl yn gadarnhaol am eu harferion personol. Awgryma tystiolaeth fod polisïau o'r fath yn cael effaith gadarnhaol ar gyflawniad disgyblion ar draws y cwricwlwm yn ogystal â gwella ansawdd addysgu a dysgu.

Er mai gwaith ar lythrennedd ac yna rhifedd sydd wedi dod yn gyntaf yn gyffredinol, mae ffocws tebyg ar rôl y sgiliau eraill er mwyn cefnogi dysgu yn datblygu erbyn hyn. Mae'r defnydd o sgiliau TG i gefnogi gwaith ar draws y cwricwlwm yn tyfu. Amlyga'r Fframwaith ABCh bwysigrwydd sgiliau personol a chymdeithasol, yn arbennig trwy bwysleisio effeithiolrwydd dysgu disgyblion er mwyn gwella eu perfformiad eu hunain ac i weithio a chydweithio ag eraill. Er bod natur sgiliau creadigol a sgiliau datrys problemau yn llai amlwg, ceir cyfleoedd i'w datblygu ar adegau addas trwy'r gorchmynion. Mae mentrau newydd sydd wedi eu seilio ar ymchwil yn dechrau cael effaith ar feddwl addysgol.

Ni fyddai'n realistig disgwyl i ysgolion gyfeirio at y chwe maes sgiliau ar yr un pryd. Bydd yr amserlen ar gyfer gwaith o'r fath mewn ysgolion unigol yn dibynnu ar y sefyllfa gyfredol ac ar flaenoriaethau'r ysgol.

Dull gweithredu ysgol gyfan

Mae'n hanfodol cael dull gweithredu ysgol gyfan er mwyn datblygu'r chwe maes sgiliau. Heb ddull gweithredu o'r fath, gall datblygiad fod yn anghyson ac yn anghyflawn.

Dylai dull gweithredu ysgol gyfan anelu at sicrhau gorolwg cyffredinol clir o'r sgiliau a ddatblygir o fewn yr ysgol a bod yr holl staff yn rhannu dealltwriaeth gyffredin o'r hyn sydd ei angen. Bydd disgwyliadau cyffredin ac ymroddiad ar ran yr holl staff i gynnwys cyfleoedd ar gyfer datblygu sgiliau yn eu cynlluniau yn gymorth i ddarparu cysondeb ar draws pob pwnc. Bydd monitro systematig ynghyd â gwerthuso cyfnodol hefyd yn chwarae rhan bwysig.

Bydd athrawon yn elwa o'r cyfleoedd i:

- rannu arfer dda mewn addysgu a dysgu a defnyddio arbenigrwydd oddi mewn a thu allan i'r ysgol i gasglu gwybodaeth am yr ystod angenrheidiol o sgiliau
- cydweithio er mwyn adnabod cyfleoedd ar draws y cwricwlwm ac mewn gwir gyd-destunau er mwyn i ddisgyblion ddatblygu, ymarfer a choethi sgiliau a gafodd eu haddysgu yn wreiddiol mewn pynciau penodol
- ateb anghenion dysgu unigolion yn fwy effeithiol trwy ddefnyddio ystod o ddulliau addysgu, sy'n annog gwahanol arddulliau dysgu.

Yn arbennig mewn ysgolion uwchradd, bydd hi'n angenrheidiol i athrawon wybod beth yw cynnwys cynlluniau gwaith pynciau eraill a phryd y defnyddir sgiliau penodol fel nad ydynt yn disgwyl i ddisgyblion fod yn gymwys mewn sgiliau nad ydynt eto wedi eu dysgu.

Yn bwysicach fyth, dylai pob disgybl elwa o ganlyniad i ddull gweithredu ysgol gyfan llwyddiannus.

Beth yw dilyniant?

Bydd y dull gweithredu ysgol gyfan a ddisgrifir uchod yn llwyddiannus os yw'r holl athrawon yn deall yn glir beth yw natur dilyniant mewn gwaith a wneir ar sgiliau.

Er bod llawer o ysgolion yn cynnig cyfleoedd i ddatblygu a chymhwyso sgiliau ar draws y cwricwlwm, nid yw'r ddarpariaeth o anghenraid yn gyson nac yn gytbwys. Er enghraifft, gall dosbarth cynradd fod yn gyfarwydd â chwilio am wybodaeth ar y Rhyngrwyd ym Mlwyddyn 5, ond methu â chael cyfle i ddatblygu'r sgiliau ymhellach yn ystod y flwyddyn ganlynol gydag athro/athrawes (d)dosbarth arall nad yw'n hyderus yn y maes hwn. Gall adran wyddoniaeth mewn ysgol uwchradd fod yn ymwybodol iawn o anghenion ieithyddol a chyfathrebu y disgyblion gan wneud darpariaeth amlwg i'w diwallu, tra bo adran arall o fewn yr un ysgol heb bolisi tebyg. Gall diffyg cysondeb o'r math arwain at ansicrwydd mewn disgyblion ynglŷn â'r hyn y mae'r athrawon yn ei ddisgwyl ganddynt, at wahanol safonau gwaith gyda gwahanol athrawon, at ddiffyg dilyniant ac, mewn achosion difrifol, at atchweliad mewn rhai disgyblion o ran sgiliau penodol. Hefyd, nid yw'n llwyddo i egluro i'r disgyblion pa mor bwysig yw'r sgiliau, yn yr ysgol ac wedi hynny.

Mae rhai ffyrdd cyffredin y gall disgyblion ddangos cynnydd o ran cymhwyso sgiliau. Mae'r rhain yn cynnwys:

- mwy o annibyniaeth a hyder wrth gymhwyso sgiliau ar draws y cwricwlwm
- ystod ehangach o sgiliau y gallant eu cymhwyso mewn gwahanol gyd-destunau a sefyllfaoedd
- gallu cynyddol i adnabod eu dewis nhw o arddulliau dysgu ac i drefnu eu dysgu eu hunain
- gwell dealltwriaeth o'r cyfraniad y gall sgiliau ei wneud i ddysgu mewn pwnc penodol ac i'w bywydau a'u gyrfaoedd yn y dyfodol
- gwell dealltwriaeth o bwysigrwydd hunanasesiad.

Mae natur dilyniant yn amrywio, fodd bynnag, o'r naill faes sgiliau i'r llall. Mae'r rhaglenni astudio a'r disgrifiadau lefel sy'n cyd-fynd â phob pwnc yn amlinellu dilyniant mewn cyfathrebu, mathemateg a TG. Yma, mae'r arbenigedd i'w gael o fewn yr ysgol, gyda'r cydlynydd cwricwlwm yn y cam cynradd/arbennig a chyda'r penaethiaid adran perthnasol yn yr uwchradd. Mae angen rhannu'r arbenigedd gyda'r holl staff fel bod pob athro/athrawes yn ymwybodol o'r hyn sy'n cyfrif fel dilyniant mewn gweithgaredd penodol, er enghraifft, mewn ysgrifennu, trin data neu brosesu geiriau. Gall athrawon wedyn ddarparu cyfleoedd sy'n galluogi disgyblion i ddefnyddio eu sgiliau mewn dulliau sy'n gynyddol soffistigedig mewn amryw weithgareddau o fewn un pwnc ac ar draws y cwricwlwm.

Cymerer, er enghraifft, sgil megis darllen a chanfod gwybodaeth o destun nad yw'n ffuglen – sgil sy'n angenrheidiol i ddisgyblion trwy gydol eu dyddiau ysgol ac wedi hynny. Yr hyn sy'n cynnig dilyniant yma yw anhawster cynyddol yr iaith a chymhlethdod deallusol y testun yn ogystal â gallu'r disgyblion i ddeall, dewis yr hyn sy'n berthnasol a defnyddio'r wybodaeth ar gyfer pwrpas penodol. Mae hyn yn wir ar gyfer darllen ym mhob pwnc. Er enghraifft, mewn technoleg, efallai y bydd angen i ddisgyblion ddarllen y canlynol mewn gwahanol gyfnodau o'u gyrfaoedd ysgol:

Blwyddyn 4	Darllen rhestr o gynhwysion a dilyn cyfarwyddiadau syml ar gyfer pobi cacenni cri.
Blwyddyn 7	Darllen a dilyn cyfarwyddiadau ar gyfer llunio model syml o gwch.
Blwyddyn 9	Darllen a dilyn cyfarwyddiadau er mwyn cynllunio, dylunio a llunio blwch pensiliau.

Mae'r sgil o ddarllen a chanfod gwybodaeth yn gynyddol anodd yma oherwydd cymhlethdod cynyddol y cyd-destun, geirfa a gofynion y dasg ei hun.

Gall disgyblion hefyd ddangos cynnydd mewn darllen trwy ganfod gwybodaeth o destun ar sgrîn – o CD–ROMau neu o'r Rhyngrwyd. Yn yr enghraifft hanes ganlynol, mae disgyblion o flynyddoedd dilynol yn ychwanegu at y sgiliau a ddysgwyd ym Mlwyddyn 6 ac yn gynyddol ddatblygu eu sgiliau TG o chwilio trwy CD–ROM, prosesu geiriau a chyflwyno o fewn cyd-destun ymchwil hanesyddol.

Blwyddyn 7	Ychwanegu at sgiliau a ddysgwyd ym Mlwyddyn 6, trwy ddilyn cyfarwyddiadau syml ar gyfer logio ar y Rhyngrwyd er mwyn canfod gwybodaeth. Dilyn cyfarwyddiadau syml i gyflwyno eu gwaith trwy ddefnyddio pecyn prosesu geiriau.
Blwyddyn 8	Cwblhau gwersi sy'n seiliedig ar ddefnyddio safweoedd penodol. Llunio sioe sleidiau drydanol sylfaenol/syml ar gyfer eu cyfoedion, gan ddefnyddio sganiwr a chamerâu digidol, i gyflwyno'r wybodaeth a gasglwyd.
Blwyddyn 9	Dilyn canllawiau ar gyfer ymchwil annibynnol yn defnyddio'r Rhyngrwyd. Gan weithio mewn parau neu grwpiau bach, llunio sioe sleidiau fwy cymhleth a thudalennau syml ar gyfer y we y gellid ei throsglwyddo i CD–ROM ac y gellid o bosib ei dangos ar y Rhyngrwyd.
Blynyddoedd 10/11	Defnyddio'r Rhyngrwyd, gan ddilyn cyfarwyddiadau penodol, i gwblhau nifer o dasgau adolygu. Parhau ag ymchwil annibynnol, gan ddefnyddio safwe'r adran hanes fel canllaw. Gweithio mewn grwpiau i gynllunio, dylunio a llunio sioe sleidiau yn seiliedig ar y pwnc sy'n cael ei astudio, gan ddefnyddio'r ystod eang o sgiliau TGCh a ddysgwyd yn ystod CA3.

Trwy ddefnyddio eu gallu cynyddol gyda TGCh, mae'r disgyblion hyn yn gallu coethi eu sgiliau ymchwil a chyflwyno mewn perthynas â hanes ac er mwyn cyflawni'r sialensiau cynyddol sydd ynghlwm wrth y tasgau a osodir.

Dengys enghraifft bellach o ddaearyddiaeth y modd y gall cyfleoedd i ddefnyddio a datblygu sgiliau cymhwyso data fod yn rhan annatod o brofiadau disgyblion wrth iddynt ddysgu am eu hardal ac am reoli'r amgylchedd. Er enghraifft, bydd ymchwil ar drafnidiaeth yn elwa o allu cynyddol disgyblion i ddefnyddio sgiliau mathemateg a TG wrth iddynt symud drwy'r cyfnodau allweddol.

Blwyddyn 4	Cynnal arolwg o sut mae disgyblion y dosbarth yn teithio i'r ysgol. Cwblhau taflen rifo a llunio graff bar. Defnyddio TG i gynhyrchu copïau a newid elfennau.
Blwyddyn 7	Cynnal arolwg trafnidiaeth stryd. Newid rhifau i ganrannau a llunio gwahanol fathau o graffiau, yn cynnwys siartiau cylch, i ddangos cymariaethau, e.e. o ran tywydd, diwrnod, lleoliad. Defnyddio TG i gymharu effeithiolrwydd y graffiau.
Blwyddyn 9	Cynnal arolwg ar draffig tref leol a defnyddio data eilaidd tabledig. Tynnu data allweddol a disgrifio graddfeydd newid dros gyfnod o amser. Defnyddio pecyn TG i ragweld tueddiadau yn y dyfodol.

Yma, fel yn yr enghraifft hanes, mae'n rhaid i ddisgyblion ddefnyddio ystod o sgiliau cyfathrebu, i siarad a gwrando yn ogystal â darllen. Oherwydd eu bod yn cydweithio mewn grwpiau am lawer o'r amser, bydd angen iddynt hefyd ddefnyddio a datblygu eu sgiliau personol a chymdeithasol.

Ceir canllawiau ynglŷn â dilyniant mewn sgiliau personol a chymdeithasol yn y Fframwaith ABCh, sy'n diffinio addysg bersonol a chymdeithasol ac yn disgrifio canlyniadau dysgu gan gynnwys sgiliau ym mhob cyfnod allweddol. Mae gwybodaeth ychwanegol yn y Canllawiau Atodol ABCh, sydd hefyd yn cynnig dulliau gweithredu ysgol gyfan o safbwynt ABCh.

Gall datrys problemau ddigwydd ym mhob pwnc ar draws y cwricwlwm a cheir cyfleoedd i ddatblygu sgiliau creadigol yn y mwyafrif o bynciau, ac nid yn unig o fewn y rhai a ystyrir yn 'greadigol' megis cerddoriaeth a chelf. Er enghraifft, dengys y gorchmynion gwyddoniaeth ddatblygiad clir, lle mae gofyn addysgu disgyblion CA1:

> *i ddefnyddio eu profiad a'r wybodaeth a ddaw o'u hymchwiliadau i ddatblygu eu syniadau gwyddonol eu hunain (1.3)*

a CA3:

> *i gymhwyso'u gwybodaeth, dealltwriaeth a'u sgiliau gwyddonol i lunio strategaethau, datrys problemau a chynnig esboniadau gan gysylltu syniadau gwyddonol â'r wybodaeth a geir amdanynt (1.1)*

a

> *sut, o bosib, y bydd angen meddwl yn greadigol yn ogystal â chasglu gwybodaeth er mwyn creu esboniadau gwyddonol (1.3).*

Mae cyfleoedd i ddatblygu sgiliau creadigol a datrys problemau, sydd â pherthynas agos â'i gilydd, yn dod o ddefnyddio ystod o ddulliau addysgu a gosod tasgau addas lle mae'r amcanion yn cynnwys y rhai sy'n berthnasol i dargedu sgiliau penodol. Gall y cyfleoedd godi ar unrhyw bwynt yn y cwricwlwm pan fo disgyblion yn gorfod:

- trafod gwahanol agweddau a dulliau
- dewis a phenderfynu
- adolygu, ailddrafftio a choethi eu gwaith
- dewis pa wybodaeth i'w chasglu
- dylunio gwrthrychau
- ymchwilio i ragdybiaethau
- llunio cymariaethau a chysylltiadau
- esbonio achosion a llunio casgliadau rhesymegol.

Yn y fan hon, bydd perthynas agos rhwng y dilyniant â'r tasgau a'r meini prawf pwnc benodol er mwyn sicrhau llwyddiant.

Cydlynu gwaith er mwyn sicrhau dilyniant yn sgiliau'r disgyblion

Gweithredu

Mae'r adran hon yn cynnig cyngor ar gydlynu'r modd y gweithredir gwaith sgiliau mewn ysgolion ar draws cyfnodau allweddol ac ar draws y cwricwlwm cyfan.

Fel sy'n wir gyda datblygiadau eraill ysgol gyfan, mae'r camau canlynol yn ddefnyddiol:

- addasu neu ddatblygu polisi ysgol
- gwneud trefniadau ar gyfer cydlynu
- archwilio sefyllfa gyfredol yr ysgol o ran datblygiad, penderfynu beth sydd i'w wneud a blaenoriaethu gwaith
- cynllunio, ar draws yr ysgol ac o fewn y pynciau
- adnabod cyfleoedd ar draws y cwricwlwm ar gyfer datblygu a chymhwyso sgiliau
- trefnu hyfforddiant staff fel bo'r angen, er mwyn gwella gwybodaeth athrawon am y sgiliau angenrheidiol, dilyniant y sgiliau hyn a manteision y dull hwn o addysgu a dysgu
- monitro a gwerthuso'r polisi a'r canlyniadau
- monitro ac asesu pefformiad disgyblion.

I ddangos y camau hyn, mae'r adran hon yn cyflwyno enghreifftiau o arferion cyfredol mewn ysgolion cynradd, uwchradd ac arbennig yng Nghymru. Mae llawer o'r ysgolion yng nghanol eu gwaith datblygu ac ni fyddai'r un ohonynt yn datgan bod ganddynt gylch sefydlog a chyflawn ar gyfer cynllunio, gweithredu a gwerthuso holl agweddau y chwe maes sgiliau. Bu'n rhaid i bob un flaenoriaethu gwaith yn unol ag anghenion ynghyd â'r amser a'r adnoddau oedd ar gael. Nid yw rhai ohonynt eto wedi dechrau datblygu rhai meysydd. Fodd bynnag, maent oll yn dangos tystiolaeth o amcanion eglur ynghyd â chynllunio a gweithredu meddylgar, ac yn cynnig modelau defnyddiol y gall ysgolion eraill ddysgu ohonynt.

Polisi ysgol

Daeth gwahanol fathau o bolisïau ar gyfer datblygu sgiliau i'r amlwg. Mewn rhai achosion, lluniodd unigolyn neu weithgor bolisi drafft i'w drafod a'i goethi gan yr holl staff. Mewn achosion eraill, addaswyd polisi cyfredol, megis un ar gyfer sgiliau sylfaenol neu sgiliau allweddol, gan ehangu ei gynnwys.

Dechreuodd un ysgol wledig ddatblygu polisïau ar wahân ar gyfer sgiliau sylfaenol llythrennedd, rhifedd a TG rai blynyddoedd yn ôl, ond mewn modd di-drefn. Pan benderfynodd yr ysgol ganolbwyntio ar y chwe maes sgiliau sy'n rhan o'r gofynion cyffredin, dechreuodd drwy ehangu'r polisïau cyfredol. Mynychodd pob aelod o'r staff HMS mewnol ar bwysigrwydd y sgiliau. Sefydlodd yr ysgol dri phanel staff i adolygu'r hen bolisïau er mwyn ehangu i gynnwys sgiliau cyfathrebu, mathemateg a TG. Roedd cynllun gweithredu'r ysgol ar gyfer y flwyddyn honno yn cynnwys gweithredu'r polisïau newydd hyn. Er mwyn cefnogi'r datblygiad, neilltuodd yr ysgol ddwy ystafell ar gyfer TG a phenodi llyfrgellydd newydd i gefnogi'r polisi cyfathrebu. Unwaith y sefydlir y polisïau hyn, bwriad yr ysgol yw canolbwyntio ar y tri maes sgiliau sy'n weddill.

Gall polisi sgiliau hefyd ddatblygu mewn modd mwy graddol wrth ymateb i amgylchiadau sy'n newid yn yr ysgol.

Dechreuodd ysgol gynradd o 130 o ddisgyblion trwy ddrafftio polisi llythrennedd i ddiwallu anghenion gweladwy yn yr ysgol. Aethant ymlaen i ehangu'r polisi hwn i drin sgiliau cyfathrebu ehangach, gan gyflwyno dogfennau ar gyfer sgiliau mathemategol a TG yn ddiweddarach. Felly mae'r ysgol wedi datblygu polisi ysgol gyfan dros nifer o flynyddoedd ac mae'n dewis un agwedd benodol i dderbyn sylw a chael ei gwella ym mhob tymor.

Mae llawer o ysgolion eisoes wedi darparu cyfleoedd i ddatblygu sgiliau ond efallai heb wneud hynny mewn modd systematig a heb bolisi penodol. Oherwydd hyn, gwelodd llawer o ysgolion nad oedd llunio dogfen bolisïau yn golygu mwy o waith ar gyfer athrawon.

Dywedodd un pennaeth:

'Buom yn ei wneud ers blynyddoedd ... bu sgiliau yn rhan o'n dysgu ar hyd yr amser ... dyna pam nad ydym yn gweld yr angen am lawer mwy o ddogfennau ... na chydlynydd ... Mae gennym eisoes strwythur cydlynol sy'n cynnwys y sgiliau. Bydd angen, fodd bynnag, i ni gynllunio ein dilyniant yn fanylach.'

Dywedodd pennaeth mewn ysgol arall oedd ag arferion sefydlog ond heb bolisïau ysgrifenedig pan ymwelwyd â'r ysgol yn ystod ein hymchwil, y bydd y polisïau pan fyddant wedi eu datblygu:

'Bydd yn cyfeirio at ddarpariaeth a chyfleoedd cyfredol mewn TG, cyfathrebu ayyb. Bydd yn dwyn ein strategaethau sgiliau ynghyd mewn modd cydlynol. Mae angen i ni ganolbwyntio ar yr agwedd o ddilyniant.'

Cydlynu

Bydd y rolau a'r cyfrifoldebau a ddyrennir i hyrwyddo a chydlynu gwaith ar sgiliau yn amrywio o ysgol i ysgol, yn dibynnu ar fath ac ar faint. Er enghraifft, mewn un ysgol gynradd gyda phennaeth sy'n dysgu a dau/dwy athro/athrawes arall, y pennaeth sy'n gyfrifol am yr agwedd ysgol gyfan, gan gynnwys canolbwyntio ar sgiliau personol a chymdeithasol, creadigol a datrys problemau. Mae Athro A yn gyfrifol am Saesneg a TGCh (ymysg eraill), ac yn cydlynu sgiliau cyfathrebu a TG, tra bo Athro B, sydd â chyfrifoldeb pwnc dros fathemateg (ymysg eraill), yn cydlynu sgiliau mathemategol. Mewn ysgol gyfun o faint canolig, y dirprwy bennaeth sydd â chyfrifoldeb dros gydlynu ysgol gyfan, pennaeth yr adran Gymraeg dros sgiliau cyfathrebu, Pennaeth TG dros sgiliau TG a'r ail yn yr adran fathemateg sy'n gyfrifol am sgiliau mathemategol.

Beth bynnag y bo maint yr ysgol, y ddwy brif agwedd o safbwynt rheolaeth yw:

- trosolwg ar lefel ysgol gyfan
- trosolwg ar bob maes sgiliau.

Ar lefel ysgol gyfan, mae'n debyg y bydd y cydlynydd yn aelod o'r uwch dîm rheoli.

Mewn un ysgol gyfun fach, mae aelod o'r uwch dîm rheoli yn gyfrifol am gydlynu sgiliau trwy'r ysgol. Mae'n gweithredu trwy'r rhwydwaith penaethiaid adran. Mewn cyfarfodydd un-i-un tymhorol, mae pob pennaeth adran yn adrodd i'r cydlynydd ar y modd y darperir sgiliau ac yn cyflwyno enghreifftiau o waith disgyblion i ddangos cynnydd. Yna, mae'r cydlynydd yn adrodd i'r uwch dîm rheoli ar gynnydd sgiliau trwy'r ysgol ar ddiwedd pob tymor.

Dylai bod gan yr athro sy'n cydlynu'r sgiliau brofiad yn y maes hwn ynghyd â'r gallu i gysylltu'n effeithiol ag aelodau eraill o'r staff. Bydd neilltuo amser penodol yn hwyluso'r broses o gyflawni'r cyfrifoldebau hyn.

Adolygodd un ysgol gynradd, gyda dalgylch cymysg a phennaeth nad yw'n dysgu, ei pholisïau sgiliau, yn dilyn asesiad mewnol gan yr AALl a amlygodd amrywiadau eang o ran cyrhaeddiad ieithyddol a mathemategol y disgyblion. Wedi penderfynu bod angen dull gweithredu oedd yn canolbwyntio ar draws yr holl ddysgu, enwebwyd yr athro/athrawes oedd yn gyfrifol am fathemateg fel y cydlynydd ysgol gyfan. Fe'i rhyddhawyd o ddysgu dosbarth am un diwrnod yr wythnos yn ystod y tymor canlynol i ganolbwyntio ar ei chyfrifoldeb newydd, gan ddefnyddio athro/athrawes (c)gyflenwi a'r brifathrawes ei hun i ddysgu ei dosbarth. Trefnodd y cydlynydd arolwg i bennu anghenion sgiliau ym mhob maes pwnc. Gan ddefnyddio'r wybodaeth honno, penderfynodd ddatblygu sgiliau mathemategol yn gyntaf gan drefnu dau sesiwn HMS yn y maes ar gyfer yr holl staff yn ystod y ddau dymor canlynol. Bwriad yr ysgol yw canolbwyntio ar sgiliau cyfathrebu a TG yn ystod y flwyddyn ysgol nesaf.

Un dasg bwysig i'r cydlynydd yw sicrhau cysondeb ar draws pob pwnc a'r holl athrawon wrth weithredu'r polisïau sgiliau.

Pan benodwyd cydlynydd sgiliau mewn un ysgol uwchradd, sylweddolodd fod adrannau yn ymateb yn wahanol i sgiliau mathemateg ac, o ran cyfathrebu, yn defnyddio dulliau oedd yn amrywio'n fawr i ddiwallu anghenion ieithyddol. Cymerodd beth amser i ddwyn yr adrannau ynghyd i gytuno ar strategaethau cyffredin, ond dywed yr ysgol fod perfformiad y disgyblion wedi gwella ers mabwysiadu dulliau gweithredu cyffredin i'r agweddau hyn.

Yn y cyd-destun cynradd ac yn y mwyafrif o ysgolion arbennig, efallai ei bod yn rhwyddach i ddarparu cyfleoedd paralel ar gyfer dilyniant sgiliau ar draws pynciau, oherwydd mai'r un athro/athrawes sy'n gyfrifol am ddysgu'r holl gwricwlwm. Fodd bynnag, mae angen i ysgolion sicrhau cysondeb rhwng athrawon gwahanol grwpiau blynyddoedd ac ar draws grwpiau blwyddyn mawr lle mae mwy nag un dosbarth. Os yw athrawon yn ymwybodol o ba sgiliau y dysgodd disgybl yn ystod y flwyddyn flaenorol a beth oedd maint y cynnydd gyda'r sgil hwnnw, gallant ychwanegu at y wybodaeth hon fel rhan o'u cynllunio ar gyfer y dyfodol.

Bydd dilyniant a chynnydd ond yn bosibl os oes cydlyniad rhwng cyfnodau allweddol. Mae hyn yn berthnasol wrth drosglwyddo o CA1 i CA2, yn arbennig os yw hynny'n cynnwys ysgolion gwahanol. Bydd angen i athrawon rannu gwybodaeth am gynnydd a chadarnhad o safbwynt sgiliau disgyblion yn CA1 er mwyn cynllunio dilyniant.

Mae cydlynu effeithiol rhwng y cyfnod cynradd ac uwchradd yn her arbennig ac yn fater allweddol yn genedlaethol ar hyn o bryd. Mae'r cyswllt cynradd/uwchradd wedi bod yn canolbwyntio ar agweddau bugeiliol ac/neu agweddau anghenion arbennig, ond nawr mae'r mwyafrif o ysgolion yn sylweddoli'r angen i ganolbwyntio hefyd ar barhad yn y broses o ddatblygu sgiliau wrth drosglwyddo. Mae angen i athrawon cynradd ddeall gofynion y cwricwlwm uwchradd a chanolbwyntio ar ddatblygu sgiliau sy'n galluogi disgyblion i ddygymod â'r gofynion hyn yn hytrach nag atchwelyd. Yn yr un modd, mae angen i'r ysgol uwchradd fod yn ymwybodol o gryfderau a gwendidau disgyblion Blwyddyn 6 fydd yn symud yno, er mwyn i'r ysgol fedru adnabod y ffordd ymlaen.

Mae llawer gwell cysondeb o safbwynt dysgu sgiliau ar draws y sector cynradd ers cyhoeddi'r Fframweithiau Llythrennedd a Rhifedd ar gyfer ysgolion cynradd, gan y Swyddfa Gymreig ac OHMCI yn 1998 ac yn 1999 yn y drefn hon. Bydd ysgolion uwchradd ond yn elwa'n llwyr, fodd bynnag, os ydy'r holl staff yn sylweddoli yr hyn a gyflawnwyd o ran caffael sgiliau ar y lefel gynradd; er enghraifft, trwy nodi'r lefelau a'r marciau a gyrhaeddwyd gan y disgyblion mewn asesiadau diwedd CA2 mewn Cymraeg/Saesneg a mathemateg.

Mae rhai ysgolion yn defnyddio unedau neu gyrsiau pontio ar draws Blynyddoedd 6 a 7.

Barn un ysgol, a gafodd adroddiad ardderchog o safbwynt dilyniant mewn sgiliau mathemategol, oedd bod tuedd i ddatblygiad disgyblion arafu neu hyd yn oed atchwelyd wedi iddynt drosglwyddo i'r sector uwchradd. Y teimlad oedd nad oedd y rhaglen addysgu ym Mlwyddyn 7 yn cynnwys dilyniant o Flwyddyn 6. Dechreuodd yr ysgol felly drafod gyda'r ysgol uwchradd yn ogystal â'r ysgolion cynradd eraill yn y clwstwr er mwyn gwella dilyniant. Y canlyniad oedd i'r adran fathemateg a'r ysgolion cynradd ddatblygu cynllun gwaith ar y cyd ble'r cyflwynwyd yr unedau cyntaf yn ystod tymor olaf Blwyddyn 6 a'r unedau olaf ym Mlwyddyn 7. Lluniwyd dilyniant naturiol sy'n osgoi ailadrodd diangen ar ddechrau CA3.

Mae codi ymwybyddiaeth ymysg athrawon uwchradd o'r safonau y gall disgyblion eu cyrraedd yn faes pwysig arall o ran trosglwyddo. Os nad yw'r disgwyliadau yn ddigon uchel ym Mlwyddyn 7, gall disgyblion gynhyrchu gwaith sydd ar lefel is na'u hymdrechion gorau ym Mlwyddyn 6. O ganlyniad, gellir llunio tybiaethau anghywir am alluoedd y disgyblion hyn.

Trefnodd un clwstwr o ysgolion cynradd i drosglwyddo enghreifftiau o waith gorau'r disgyblion ym Mlwyddyn 6 mewn iaith, mathemateg, TG a phynciau eraill i benaethiaid adrannau yr ysgol uwchradd. Defnyddiwyd y rhain fel defnyddiau enghreifftiol o botensial y disgyblion fel bod yr ysgol yn medru adnabod a chywiro tangyflawniad disgyblion ym Mlwyddyn 7.

Mae'n arferol trosglwyddo enghreifftiau o waith gorau yn y modd hwn. Mae'n bwysig, fodd bynnag, fod yr ysgolion cynradd a'r ysgol uwchradd yn cytuno ar yr hyn a anfonir ynghyd â'r defnydd a wneir ohono, a bod yr adrannau uwchradd yn cael cyfle i'w ddefnyddio. Un ffactor hollbwysig yw amseriad trosglwyddo'r gwaith. Os na fydd yn cyrraedd tan dymor yr hydref ym Mlwyddyn 7, ni fydd yn effeithiol oherwydd ni fydd cyfle iddo ddylanwadu ar gynlluniau'r tymor hwnnw. Mae'n rhaid cydlynu trosglwyddiad y gwaith er mwyn sicrhau llwyddiant ac er mwyn cynnal dilyniant.

Archwilio a blaenoriaethu

Bydd unrhyw archwiliad o weithdrefnau a chyfleoedd cyfredol yn sicr o ddatgelu llawer am gryfderau a gwendidau'r ysgol. Bydd archwilio ymwybyddiaeth y staff ynghyd â'u cymhwyster yn y chwe maes sgiliau fel arfer yn rhoi canlyniad tebyg.

Weithiau bydd yn datgelu cryfderau.

> Cafodd un ysgol gynradd adroddiad arolygaeth ardderchog nad oedd yn dangos unrhyw wendidau oedd angen sylw brys. O ganlyniad, roedd staff o ysgolion eraill yn dymuno ymweld â'r ysgol. Cafodd yr ysgol lawer o sylw ynghyd â gwahoddiadau i ddarparu hyfforddiant mewn swydd. Er mwyn paratoi ar gyfer hyn, dechreuodd ddadansoddi sut yr oedd yn addysgu – rhywbeth oedd hyd hynny wedi bod yn reddfol ac nad oedd wedi'i ddatgan yn glir. Dangosodd yr archwiliad hwn fod y pwyslais a roddwyd ar addysgu sgiliau yn allweddol i'r addysgu a'r dysgu ar draws yr holl gwricwlwm.

Bu'r archwiliad o gymorth i'r staff ddod yn ymwybodol o egwyddorion eu harfer dda, gan roi cyfle iddynt ei rannu gydag ysgolion eraill a'i ddefnyddio fel sylfaen ar gyfer datblygiadau yn y dyfodol.

Fodd bynnag, gall archwiliad amlygu gwendidau.

> Wrth fapio sgiliau mathemategol, sylweddolodd un ysgol gynradd fod bron y cyfan o'r gwaith yn digwydd yn ystod sesiynau mathemateg. Nid oedd llawer o ddefnyddio sgiliau ar draws y cwricwlwm, er bod perfformiad mathemategol y disgyblion ar draws yr ysgol yn dderbyniol. Sylweddolwyd, tra bo safonau mewn asesiadau cwricwlwm cenedlaethol yn dderbyniol neu'n dda, ei bod yn hawdd colli cyfleoedd i ddefnyddio a datblygu'r sgiliau cyfatebol ymhellach ar draws y cwricwlwm. Oherwydd hynny, collir gwelliannau tebygol ym mherfformiad y disgyblion mewn pynciau eraill. Ni fydd disgyblion yn gwerthfawrogi pa mor bwysig yw defnyddio sgiliau mewn ystod eang o gyd-destunau nac yn dysgu drostynt eu hunain sut i adnabod pa sgiliau sydd fwyaf addas ar gyfer y dasg dan sylw.

Fel a nodwyd yn yr adran ar bolisïau, gall gwaith cyfredol ar sgiliau sylfaenol ddarparu man cychwyn ar gyfer datblygu meysydd sgiliau ehangach o fewn y gofynion cyffredin. Bydd archwiliad ysgol gyfan yn dangos yr hyn sydd angen ei wneud.

Roedd un ysgol wedi rhoi sylw i sgiliau sylfaenol, ac roedd y staff yn gyfarwydd â nhw bellach. Fodd bynnag, dangosodd yr archwiliad o gyfleoedd ar gyfer meysydd sgiliau ehangach fod angen iddynt ehangu eu dulliau o safbwynt:

- yr ystod o sgiliau cyfredol: er enghraifft, roedd angen estyn y syniad o lythrennedd, yn seiliedig ar ysgrifennu, i gwmpasu cyfathrebu sy'n cynnwys ystod o ddarllen, cyfryngau, siarad a gwrando; ac ehangu'r pwyslais cul ar rifedd i gynnwys ystod gyflawn y sgiliau mathemateg
- yr ystod o sgiliau cyfredol: nid oedd sgiliau technoleg gwybodaeth, personol a chymdeithasol, creadigol na datrys problemau yn rhan o'r gwaith ar sgiliau sylfaenol
- y boblogaeth a anelwyd ati: oherwydd mai i gyflawnwyr isel yr oedd datblygu sgiliau sylfaenol yn fwyaf perthnasol, ychydig iawn o gyfle oedd gan y mwyafrif o ddisgyblion i ymarfer eu sgiliau; roedd y syniad bod angen datblygu ystod eang o sgiliau ym mhob disgybl ym mhob pwnc cwricwlwm yn newydd.

Gwelodd yr ysgol hon, o ganlyniad i'r archwiliad, fod y gwaith cyfredol yn fan cychwyn da ar gyfer datblygu dilyniant mewn sgiliau ond mai rhan yn unig o'r gofynion cyffredin roeddynt yn ei chynrychioli. Fodd bynnag, trwy godi ymwybyddiaeth o'r gwaith cyfredol, nid oedd angen gwneud rhywbeth hollol newydd ac ychydig o waith ychwanegol oedd ei angen. Cyn belled â phosibl, llwyddwyd i gadw'r gwaith gwella sgiliau o fewn y gweithdrefnau a'r dogfennau cyfredol.

Cynllunio cyfleoedd

Mae cynllunio yn digwydd ar sawl lefel a graddfa amser, o nifer o flynyddoedd fel rhan o gynlluniau datblygu ysgol lwyddiannus hyd at gynllun gwaith tymhorol, misol neu wythnosol. Yn ddelfrydol, bydd cynllun ysgol gyfan yn bwydo cynlluniau adrannol a chynlluniau gwaith diwygiedig. Bydd athrawon hefyd angen adolygu eu dulliau addysgu a threfniadau'r ystafell ddosbarth.

Mae mentrau ysgol gyfan megis archwilio darllenadwyedd testun, addysgu ac arddangos geiriau allweddol a gweithredu dulliau cyffredin ar gyfer marcio sillafu, atalnodi a gramadeg ar draws y cwricwlwm bellach yn derbyn llawer o sylw mewn ysgolion. Mae cysondeb o'r fath yn hanfodol os yw disgyblion i fod yn ymwybodol o ddisgwyliadau cyffredin ar draws yr ysgol ac yn mynd i ddatblygu eu sgiliau ar draws y cwricwlwm.

Sgiliau cyfathrebu

Fel a nodwyd eisoes, oherwydd mentrau blaenorol ar gyfer gwella sgiliau llythrennedd a hyrwyddo iaith ar draws y cwricwlwm, mae ysgolion o bosibl wedi datblygu mwy o waith ar sgiliau cyfathrebu nag ar sgiliau eraill. Fodd bynnag, yn aml rhoddwyd y pwyslais ar lythrennedd fel blaenoriaeth adfer i ddisgyblion gallu isel. Mae'n bwysig bod ysgolion yn cydnabod yr angen i annog gwell sgiliau cyfathrebu ar gyfer yr holl ddisgyblion a bod cyfleoedd hefyd i ddisgyblion â chyflawniad uchel wella eu sgiliau.

Mae pynciau unigol, yn aml, yn ddefnyddiol i ddatblygu sgiliau cyfathrebu mewn dulliau amrywiol.

Mae un ysgol gynradd wledig yn sicrhau bod pob maes pwnc yn gwneud cyfraniad penodol i ddatblygu sgiliau cyfathrebu.

Cerddoriaeth: wrth ganu, mae'r dosbarth yn dysgu ystyr y geiriau, sut i'w hynganu'n eglur a sut i fynegi ystyr y geiriau ar gân. Cynllunnir hyn yn drwyadl yng nghynllun gwaith cerddoriaeth.

Hanes: mae disgyblion Blynyddoedd 5/6 yn gweithio mewn parau i lunio project hanes lleol byr ar destun sydd o ddiddordeb iddynt. Yna, maent yn cyflwyno eu canfyddiadau i ddisgyblion iau Blynyddoedd 3/4 gan ddefnyddio ystod o sgiliau llafar, ysgrifennu a chyflwyno. Mae sgiliau cyfathrebu yn amcan penodol o fewn y project.

Addysg gorfforol: roedd disgyblion oedd yn gwneud gwaith gymnasteg yn ei chael hi'n anodd i gofio cyfresi o symudiadau. Maent bellach yn gweithio mewn parau neu mewn grwpiau bach, ac yn cofnodi symudiadau wrth iddynt ddigwydd. Wrth ailadrodd y dilyniant, bydd un disgybl yn darllen y cofnod symudiadau yn uchel er mwyn i'r llall/lleill ei ddilyn. Mae'r dull hwn bellach yn rhan o gynllunio'r pwnc.

Cyfathrebu mewn addysg grefyddol

Mae un adran AGr yn canolbwyntio'n benodol ar ddatblygu sgiliau cyfathrebu disgyblion fel rhan o'r cynllunio. Er enghraifft, mewn uned waith Blwyddyn 9 ar briodi, mae'r cynllun gwaith yn gofyn i'r gweithgareddau canlynol gael eu cynnwys yn y wers. Mae cyfleoedd rheolaidd i'r disgyblion felly ddefnyddio a choethi eu sgiliau llafar trwy:

- sesiwn seiadu er mwyn dechrau eu syniadau
- gwaith grŵp i drafod a choethi syniadau
- cyfweld aelodau o'r teulu ac oedolion eraill
- cyflwyno canfyddiadau a chanlyniadau yn ffurfiol i'r holl ddosbarth

eu sgiliau darllen trwy ymchwilio:

- adnoddau'r adran
- yn llyfrgell yr ysgol, o lyfrau, CD–ROMau, papurau newyddion a chylchgronau
- ar y Rhyngrwyd

a'u sgiliau ysgrifennu trwy:

- gadw cofnodion yn ystod eu hymchwil
- cyflwyniadau ysgrifenedig terfynol mewn unrhyw fformat o'u dewis nhw – yn cynnwys pamffledi, posteri ac erthyglau ar gyfer cylchgrawn.

Gall disgyblion hefyd ddewis defnyddio sgiliau TG i gyflwyno eu syniadau ar fideo neu ar ffurf cyfres o dudalennau i'r we.

Bydd athrawon yn cynnig arweiniad ynglŷn â'r meini prawf er mwyn llwyddo yn yr amrywiol weithgareddau, ar y cyd â'r adrannau Saesneg a TG.

Gall pynciau sy'n amlwg yn defnyddio sgiliau cyfathrebu – Cymraeg, Saesneg ac ieithoedd tramor modern – weithio ar y cyd i atgyfnerthu ac adeiladu gwahanol agweddau ar gyfathrebu a gwella cyrhaeddiad ar draws yr ieithoedd.

Mewn un ysgol uwchradd a gyfrannodd at broject 'Datblygu Sgiliau Siarad' CILT, dewisodd yr athrawon Cymraeg a Ffrangeg ddosbarthiadau a addysgid gan y naill a'r llall fel dosbarthiadau project. Defnyddiodd y ddau bwnc weithgareddau tebyg megis rap, caneuon a sgetsus i gynyddu hyder a gwella rhuglder yn y ddwy iaith. Ym Mlwyddyn 7, cyfunodd y disgyblion newydd-deb Ffrangeg, iaith newydd, gyda'r profiad o fod wedi dysgu Cymraeg ers chwe mlynedd, a gwellodd perfformiad a datblygiad y disgyblion yn y ddwy iaith o ganlyniad i'r dull gweithredu cyfunol.

Gwelir yn aml bod gweithgaredd a gynlluniwyd i ddatblygu un set o sgiliau hefyd yn diwallu llawer o'r gofynion cyffredin eraill.

Derbyniodd pennaeth gwyddoniaeth mewn ysgol uwchradd drefol hyfforddiant ar 'Lythrennedd mewn Gwyddoniaeth' a rhoddodd adroddiad i weddill yr adran. Gwelodd yr athrawon werth llawer o'r technegau newydd oedd yn pwysleisio sgiliau cyfathrebu gan eu cynnwys yn eu cynlluniau gwaith; adnabuwyd cyfleoedd i'w defnyddio a daethant yn rhan ganolog o waith dosbarth. Er enghraifft, mae'r disgyblion yn awr yn darllen gofynion y tasgau mewn grwpiau ac yna yn cynllunio eu dulliau gweithredu cyn esbonio eu dewis ar lafar i'r dosbarth ac i'r athro/athrawes. Mae'r gyfres syml o weithgareddau yn cynnig cyfleoedd i ddatblygu sgiliau personol a chymdeithasol, creadigol a datrys problemau, er mai sgiliau cyfathrebu oedd y prif nod. Mae'r adran hefyd yn pwysleisio gwaith ar restrau termau, gan sicrhau bod disgyblion yn deall, yn gallu sillafu ac yn hyderus wrth ddefnyddio termau sy'n benodol i'r pwnc.

Mae cyfleoedd eraill i hybu sgiliau cyfathrebu y tu allan i wersi a amserlennwyd, er enghraifft, trwy ddefnyddio'r llyfrgell a mentrau i hyrwyddo darllen personol ehangach.

Fel rhan o'r cynlluniau i hybu darllen, mae un ysgol gynradd Gymraeg yn paratoi timau o ddisgyblion yn rheolaidd ar gyfer y Cwis Llyfrau Cymraeg blynyddol. Fodd bynnag, sylweddolodd y staff mai'r darllenwyr gorau oedd yn cael eu dewis i gynrychioli'r ysgol oedd yn elwa fwyaf ar y cwis llyfrau allanol. Penderfynwyd felly gyflwyno cwis llyfrau mewnol ble'r oedd holl ddisgyblion CA2 yn cael eu rhoi mewn timau, gan gynnal cwis unwaith bob tymor. Mae'r cyfleoedd i gymryd rhan bellach wedi eu cynnwys yng nghynllun datblygu cyfathrebu'r ysgol. Gwelodd yr ysgol gynnydd o safbwynt benthyg llyfrau llyfrgell ymysg disgyblion CA2 ers dechrau'r fenter, a chynnydd cyfatebol yn ystod darllen ehangach y disgyblion.

Mae darllen mewn parau yn weithgaredd arall sy'n gwella sgiliau cyfathrebu, yn bennaf mewn ysgolion uwchradd lle mae disgyblion hŷn yn aml yn gweithio gyda disgyblion Blwyddyn 7 mewn sesiynau rheolaidd wedi eu hamserlennu a'u trefnu ar sail ysgol gyfan. Mae'r cyswllt hwn gyda disgyblion hŷn o fantais i ddisgyblion Blwyddyn 7 mewn ffyrdd eraill, ac mae'n cefnogi datblygiad sgiliau personol a chymdeithasol a'u helpu i integreiddio mewn amgylchedd newydd. Gall ysgolion cynradd drefnu darllen mewn parau gyda chanlyniadau tebyg.

Penderfynodd un ysgol gynradd ddatblygu'r arfer o wrando ar ddisgyblion CA1 yn darllen yn uchel gan ddefnyddio disgyblion hŷn. Ar ddau fore bob wythnos, mae disgyblion Blwyddyn 5 a Blwyddyn 6 yn paru gyda disgyblion Derbyn a Blwyddyn 1 am chwarter awr ar ddechrau'r dydd. Cafodd y disgyblion hŷn beth cyfarwyddyd ar sut i ddarllen gyda'u partneriaid ac ar y pwysigrwydd o drafod y stori wrth ddarllen ac ar ôl gorffen. Mae'r disgyblion iau yn darllen yn uchel i'r rhai hŷn ac yn siarad am y llyfr gyda nhw. Gwelodd yr athrawon Derbyn a Blwyddyn 1 welliant ym mherfformiad darllen eu disgyblion, ac mae'r ysgol yn bwriadu monitro'r safonau a gyflawnir yn yr asesiadau statudol CA1 yn drwyadl. Gwelwyd hefyd welliant yn sgiliau personol a chymdeithasol y disgyblion ym Mlwyddyn 5 ac ym Mlwyddyn 6 sy'n mwynhau eu cyfrifoldeb ac sy'n cymryd eu dyletswyddau o ddifrif.

Mewn un ysgol gyfun ddwyieithog, datblygodd bolisi iaith, sydd wedi ei sefydlu bellach, dros gyfnod o rai blynyddoedd ac mae'n gysylltiedig â pholisi iaith dalgylch yr ysgol a'r nod tymor hir yw creu:

- *sefyllfa lle mae pob disgybl yn gallu trafod y gwahanol bynciau mewn dwy iaith a thrwy hynny atgyfnerthu dealltwriaeth y plentyn o'r pynciau...*

Yn yr ysgol hon, mae cysylltiadau cynradd/uwchradd yn chwarae rhan bwysig wrth sefydlu anghenion ieithyddol y disgyblion. Cesglir gwybodaeth berthnasol cyn iddynt symud i'r ysgol trwy gyfrwng adroddiadau gan yr ysgolion cynradd ac ymweliadau gan y dirprwy bennaeth. Ysgrifennir proffil pob disgybl yn seiliedig ar yr wybodaeth yma, sy'n dangos y rhai hynny fydd angen cymorth gyda Chymraeg a/neu Saesneg, ac yn manylu ar natur y cymorth. Mae asesiad blynyddol pellach yn diweddaru'r proffil. Bydd trafodaeth dymhorol hefyd yn digwydd rhwng ysgolion cynradd ac adrannau pwnc, yn cynnwys Cymraeg a Saesneg ar wahân, i drafod cwricwlwm CA2 a CA3.

Mae'r polisi iaith yn rhan annatod a chanolog o'r broses addysgu a dysgu a chaiff ei fonitro'n gyson. Cyflwynir geirfa dechnegol yn Gymraeg ac yn Saesneg yn aml ar ddechrau'r gwersi. Mae defnydd yr athrawon o iaith yn fodel o ddefnydd addas o gyweiriau iaith ac fe'i lluniwyd i ddatblygu dealltwriaeth y disgyblion o'r pwnc ac i ehangu eu cwmpas ieithyddol. Mewn mathemateg, er enghraifft, mae dysgu unedau bob yn ail yn Gymraeg ac yn Saesneg o gymorth i ddisgyblion ddod yn gyfarwydd â therminoleg ac i weithio ar brif gysyniadau'r pwnc trwy gyfrwng y ddwy iaith. Un o brif gryfderau cynllunio'r ysgol yw'r modd y mae datblygiad ieithyddol a dulliau addysgu effeithiol yn gyfunol.

Nodwedd benodol o addysg drwy gyfrwng y Gymraeg yw bod disgyblion yn aml yn darllen defnydd ffynhonnell yn Saesneg ac yn defnyddio'r wybodaeth trwy gyfrwng y Gymraeg. Mae'r sgiliau dwy-iaith yma yn wahanol i gyfieithu oherwydd eu bod yn cynnwys y gallu i grynhoi, llunio casgliadau, dewis yr hyn sy'n bwysig ac yna cynhyrchu iaith wreiddiol tra'n osgoi'r duedd i lunio cyfieithiad rhy llythrennol.

Penderfynodd un ysgol ddwyieithog ganolbwyntio'n arbennig ar sgiliau dwy-iaith am un tymor ym Mlwyddyn 8. Cafodd y disgyblion gyfleusterau'r Rhyngrwyd ychwanegol mewn gwersi hanes, daearyddiaeth a Chymraeg yn ystod y tymor hwnnw er mwyn chwilio am wybodaeth yn Saesneg. Yna, gofynnwyd iddynt grynhoi'r wybodaeth a chofnodi'r pwyntiau perthnasol yn Gymraeg. Barn yr ysgol yw bod hyn wedi galluogi'r disgyblion i ddelio â gofynion defnyddio ffynhonnell Saesneg ar gyfer gwaith cwrs yn ystod blynyddoedd diweddarach, a hynny mewn ystod o bynciau ar draws y cwricwlwm.

Ar gyfer disgyblion gydag anawsterau dysgu, bydd cyfathrebu fel arfer yn darged blaenoriaeth o fewn y Cynllun Addysg Unigol (CAU).

Roedd disgybl CA2 gydag anawsterau dysgu dwys yn gweithio ar sgiliau cyfathrebu cynnar ac yn dechrau ymateb i amrywiaeth o ysgogiadau gan ddefnyddio gwahanol fynegiadau wynebol. Er mwyn datblygu hyn, cynlluniodd ei athro i gynnig iddo brofiad o ystod o wahanol weadau. Cyflawnwyd y targed hwn mewn gwersi celf, dylunio a thechnoleg, daearyddiaeth, hanes a gwyddoniaeth, gan ddefnyddio ystod eang o ddefnyddiau a gwrthrychau.

Mewn un ysgol arbennig, y targed ar gyfer un disgybl CA3 oedd cwblhau tasg ddau-gam, wedi ei chyflwyno ar lafar a'i chefnogi gan arwyddion ac ystumiau. Roedd yr holl staff yn ymwybodol o'r targed hwn er mwyn ei gyflawni ym mhob pwnc.

Sgiliau mathemategol

Mae'n debyg ei bod yn wir yn y mwyafrif o ysgolion nad yw perthnasedd sgiliau mathemategol i ystod eang o bynciau yn cael ei werthfawrogi gymaint â pherthnasedd sgiliau cyfathrebu. O ganlyniad, efallai nad yw'r cyfleoedd i'w cyflwyno yn y gwahanol bynciau mor amlwg, ac mae angen cynllunio gofalus. Mae penaethiaid adrannau mewn ysgolion uwchradd angen cyfarwyddyd yn aml gan arbenigwr ar sut i gynnwys sgiliau mathemategol yn eu cynlluniau gwaith.

Mae un ysgol uwchradd ble'r oedd yr addysgu yn adranedig iawn wedi 'agor' y pynciau wedi i'r ail yn yr adran fathemateg gael ei enwebu fel y cydlynydd ysgol ar gyfer sgiliau mathemateg. Er enghraifft, mae'r adran ddaearyddiaeth wedi newid astudiaeth ar yr Eidal gan Blwyddyn 8 o fod yn un ddisgrifiadol yn bennaf i gynnwys defnydd sgiliau mathemategol trwy ddadansoddi rhifau poblogaeth ar gyfer gwahanol ddinasoedd ac ar gyfer y wlad yn ystod yr ugeinfed ganrif i ddangos symudiad y boblogaeth. Mae ieithoedd tramor modern wedi ehangu uned Blwyddyn 8 ar drin arian i gynnwys mwy o weithrediadau masnachol, gan ddelio â rhifau drwy gyfrwng y Ffrangeg. Mae'r cyfleoedd hyn bellach yn rhan o gynlluniau gwaith y pynciau hyn.

Yn aml ceir mwy o hyder wrth ddatblygu sgiliau mathemategol mewn ysgolion cynradd ac ysgolion arbennig oherwydd mai'r un athro/athrawes sy'n dysgu'r holl bynciau fel arfer.

Cynhaliodd ysgol gynradd wledig broject ym Mlwyddyn 5 ar 'Ddilyn yr Afon'. Roedd y disgyblion angen ystod o sgiliau mathemategol megis: y gallu i gofnodi'r nifer o gerbydau oedd yn croesi'r bont dros yr afon; rhannu hyn yn fathau o gerbydau; estyn y canlyniadau i niferoedd ar gyfer wythnos, mis a blwyddyn, a llunio siartiau bar o'r canlyniadau; mesur lled a dyfnder yr afon a thymheredd y dŵr ar wahanol adegau; a chyflwyno'r canlyniadau mewn gwahanol ddulliau. Roedd yr holl gyfleoedd yn cael lle amlwg yng nghynlluniau'r gwersi. Roedd project arall yn yr un ysgol yn cynnwys dylunio a chreu blychau adar. Roedd sgiliau mathemategol yn hanfodol ar gyfer dylunio a mesur maint y defnyddiau.

Roedd nifer fach o ddisgyblion CA2 mewn uned arbennig yn dysgu cyfrif i ddeg. Atgyfnerthwyd hyn yn ystod amser cofrestru ac amser egwyl a chyflwynwyd cyfrif i wersi pwnc. Ar gyfer un disgybl gydag Anhwylder Sbectrwm Awtistig (ASA), oedd yn hoff iawn o wrthrychau crwn, cynhwyswyd yr elfen ychwanegol hon ble bynnag roedd hynny'n bosibl.

Sgiliau technoleg gwybodaeth

Roedd pob ysgol yr ymwelwyd â hi yn ystod y project ymchwil yn gwahaniaethu rhwng cyflwyno/addysgu sgiliau TG, a'u hymarfer a'u datblygu. Dyma esboniad un athro a gyfwelwyd:

> *'Yr hyn a wnaethom oedd llunio map cwricwlwm ar gyfer TG fel bod sgiliau TG penodol yn cael eu dysgu o fewn pob grŵp blwyddyn. Dysgir y sgiliau hynny cyn eu cyflwyno i feysydd eraill o'r cwricwlwm. Felly efallai mai gwaith yr athro TG yw addysgu copïo a gludo. Ond gall y disgyblion yna ddefnyddio'r sgil mewn meysydd pwnc eraill. Felly yn hanes byddech yn meddwl, 'O wel, os yw'r disgyblion yn llunio poster, gallant ddefnyddio copïo a gludo'n effeithiol'. Pe na fyddai TG yn dysgu sut i dorri a gludo, byddai cymaint o amser y wers hanes yn mynd i ddangos y grefft i'r disgyblion a byddai prif weithgaredd y wers hanes yn cael ei cholli.'*

Mae'n bosibl mai technoleg gwybodaeth yw'r maes lle mae hyder athrawon pynciau eraill ar ei isaf o ran integreiddio'r sgiliau i'w gwaith addysgu. Ond dyma'r maes hefyd lle mae sgiliau llawer o'r disgyblion yn aml wedi datblygu llawer mwy na sgiliau'r athrawon. Mae sefydlu a gweithredu polisi ysgol felly yn galw am gymryd camau ystyrlon a sensitif fydd yn rhoi cymorth i athrawon wneud y defnydd gorau o sgiliau'r disgyblion tra'n parhau i ddatblygu eu sgiliau eu hunain.

Yn gynyddol gwelir arfogi disgyblion gyda sgiliau TG fel modd i'w gwneud yn fwy annibynnol yn eu dysgu. Mae'n fodd o alluogi disgyblion iau i reoli eu hanghenion gwybodaeth eu hun ac i brosesu'r wybodaeth mewn modd sy'n addas iddynt. Mae hefyd yn galw ar athrawon i ymddiried yn y disgyblion i ddefnyddio cyfleusterau ysgol ar amseroedd sy'n gyfleus i'r disgyblion, megis cyn ac ar ôl ysgol ac yn ystod amser cinio. Mae datblygiad sgiliau TG felly yn golygu llunio partneriaethau dysgu mewn ysgol sy'n mynd y tu hwnt i'r hyn sy'n draddodiadol arferol.

Dechreuodd un ysgol uwchradd, a gyfrannodd at y project 'Iaith ar Waith', lunio cylchlythyr dwyieithog rheolaidd yn ystod y clwb Ffrangeg amser cinio. Mae disgyblion yn llunio eu herthyglau trwy ddefnyddio prosesydd geiriau, yn llunio'r cylchgrawn trwy ddefnyddio pecyn cyhoeddi ac yn defnyddio'r sganiwr a chamera digidol i ychwanegu lluniau at y testun. Yn ogystal ag atgyfnerthu sgiliau TG, mae'r project hefyd wedi cynyddu ysgogiad, ynghyd â'r niferoedd sy'n astudio ieithoedd.

Mae datblygu sgiliau TG yn aml yn hynod bwysig i ddisgyblion ag anableddau/anawsterau dysgu. Efallai fod disgyblion o'r fath yn dibynnu ar TG ar gyfer eu holl gyfathrebu ac mae angen dysgu'r sgiliau hyn, eu datblygu a'u cyffredinoli ar draws y cwricwlwm.

Sgiliau personol a chymdeithasol

Lluniwyd y rhaglen ABCh mewn ysgolion i gynnig cymorth i ddisgyblion ddatblygu'r ystod lawn o sgiliau personol a chymdeithasol fel a ddisgrifir yn nogfennau ACCAC, Fframwaith a Chanllawiau Atodol ABCh. Ond mae hyn, efallai'n fwy na'r un maes sgiliau arall, yn berthnasol i bob gwers – ac yn wir i bob gweithgaredd sy'n digwydd mewn ysgolion. Er enghraifft, bob tro y mae disgyblion yn gweithio gyda'i gilydd, yn dangos empathi at eraill, yn gwrthod pwysau gan gyfoedion ac yn datrys problemau, maent yn dangos tystiolaeth o aeddfedrwydd cynyddol sy'n nodweddiadol o sgiliau personol a chymdeithasol da.

Gall gwersi ABCh hefyd fod yn fodd o hyrwyddo'r sgiliau angenrheidiol eraill.

Mae'r cydlynydd ABCh mewn un ysgol uwchradd yn cyfarfod â'r penaethiaid blwyddyn yn rheolaidd i gynllunio'r rhaglen ABCh am y flwyddyn ganlynol ar gyfer CA3 a CA4. Mae ef bellach yn cynnwys y staff sy'n gyfrifol am y sgiliau cyfathrebu a mathemategol yn y cyfarfodydd hyn. Llunnir yr unedau ABCh er mwyn adnabod cyfleoedd ar gyfer sgiliau ieithyddol neu fathemategol penodol sydd yn cael eu cyflwyno mewn cyd-destun ABCh. Mae athrawon dosbarth yn darparu adborth i'r cydlynwyr perthnasol ar lwyddiant yr unedau, sydd yn cael eu hadolygu erbyn y flwyddyn ganlynol.

Yn y sector cynradd, efallai nad yw rhaglenni ABCh wedi eu hamserlennu mor glir ond gall gweithgareddau penodol ar gyfer ABCh pwrpasol hefyd ddatblygu sgiliau. Enghreifftiau posibl fyddai canolbwyntio ar gynilo a gwario arian poced sydd angen sgiliau mathemategol, neu ddefnyddio sgiliau TG i chwilio ar y Rhyngrwyd am wybodaeth ar fwyta'n iach.

Efallai fod disgyblion ag anawsterau dysgu angen addysgu sy'n canolbwyntio'n benodol ar ddysgu sut i ryngweithio a datblygu sgiliau rhyngbersonol addas. Efallai fod disgyblion gydag ASA angen addysgu penodol i'w helpu i adnabod, labelu a delio ag emosiynau megis tristwch a dicter. Gellir cyfeirio at dargedau sy'n rhan o Gynlluniau Ymddygiad Unigol (CYU) a Chynlluniau Cefnogi Bugeiliol (CCB) o bosibl yn ystod gwersi ABCh ond bydd hefyd angen eu cynnwys ym mhob gwers pwnc er mwyn sicrhau dull gweithredu cyson.

Trefnu hyfforddiant

Dylai hyfforddiant ar weithredu polisïau sgiliau fod yn rhan o'r rhaglen ddatblygiad proffesiynol ehangach mewn ysgol. Pa un a ddarperir ef yn allanol neu'n fewnol, bydd hyfforddiant sgiliau yn debygol o gynnwys:

- codi ymwybyddiaeth staff o bwysigrwydd dilyniant wrth ennill a defnyddio sgiliau
- hyfforddi staff i gynllunio ar gyfer dilyniant sgiliau
- cynyddu cymhwysedd personol athrawon mewn sgiliau unigol
- cyflwyno a thrafod dulliau o fonitro ac asesu cynnydd disgyblion.

Wrth gynyddu ymwybyddiaeth y staff o'r materion, gall cyrsiau AALl a HMS chwarae rôl ddefnyddiol. Pan fo ysgolion yn trin y materion eu hunain, gall archwiliad ysgol chwarae rhan hanfodol yn yr hyfforddiant cychwynnol.

Roedd un ysgol uwchradd cyfrwng Cymraeg yn pryderu wedi i archwiliad cychwynnol ddangos diffyg cysondeb rhwng adrannau yn narpariaeth y cyfleoedd i ddefnyddio iaith ar draws y cwricwlwm. Fel cam cyntaf, penderfynodd yr uwch dîm rheoli godi ymwybyddiaeth y staff o safbwynt sgiliau cyfathrebu yn ystod trafodaethau anffurfiol yn y cyfarfodydd staff. Mewn diwrnod HMS dilynol, trafododd yr holl staff ddata perfformiad yr ysgol ac yna cymryd rhan mewn dadansoddiad o waith ysgrifenedig y disgyblion, gan ddangos cryfderau a gwendidau. Aeth y diwrnod ymlaen i gyfeirio at *Iaith Pwnc – Pwnc Iaith* (The Subject of Language) (Cen Williams, 1994) a chafwyd trafodaeth derfynol ar y cwestiwn, 'Beth mae ein hadran yn ei wneud ynglŷn â sgiliau cyfathrebu?'

Cafwyd trafodaeth fywiog ynghyd â chytundeb ar ffyrdd o gyflawni dulliau gweithredu cyffredin ar draws y cwricwlwm a gwell cysondeb wrth fonitro ac asesu'r sgiliau. Dechreuodd Grŵp Cyfathrebu'r ysgol trwy lunio polisïau ar farcio ac ar gynnwys ynghyd â'r defnydd o daflenni marcio. Aeth yr ysgol ymlaen i gynnig hyfforddiant mwy manwl o safbwynt datblygu'r ystod lawn o sgiliau cyfathrebu, gan ddefnyddio arbenigwyr ieithyddol o'r adrannau perthnasol yn yr ysgol. Yna, roedd adrannau eraill yn barod i gynnwys cyfleoedd ar gyfer cyfathrebu o fewn eu cynlluniau gwaith.

Mae ysgolion wedi darganfod y gall HMS sy'n targedu sgiliau gwahanol mewn cyd-destunau penodol fod yn ddefnyddiol iawn o ran helpu athrawon i wneud y defnydd gorau o gyfleoedd addysgu posibl ar gyfer cymhwyso sgiliau. Er enghraifft, gall cyrsiau ar ddatblygu sgiliau cyfathrebu trwy wyddoniaeth neu gyrsiau ar ddefnyddio TG mewn gwersi mathemateg gynyddu perfformiad yn y sgil ac yn y pwnc hefyd.

Trefnodd grŵp o AALl Gogledd Cymru HMS ar gyfer penaethiaid adrannau uwchradd ar y defnydd o weithgareddau Cyflymiad Gwybyddol mewn Addysg Wyddonol (CASE) mewn gwyddoniaeth. Mae nifer o ysgolion bellach wedi llwyddo i gynnwys gweithgareddau o'r fath yn eu cynlluniau gwaith ac maent yn sôn am gynnydd yn sgiliau meddwl y disgyblion ynghyd â'u dulliau o ddatrys problemau yn greadigol. O ganlyniad, mae ysgolion bellach yn defnyddio dulliau CASE mewn pynciau eraill megis mathemateg.

Monitro a gwerthuso

Tasg y cydlynydd ysgol gyfan yw monitro'r rhaglen sgiliau yn yr ysgol. Mae hyn yn cynnwys sicrhau bod:

- cwricwlwm yr ysgol gyfan yn cynnwys yr holl sgiliau angenrheidiol
- ystod o gyfleoedd wedi eu hadnabod ar draws y cwricwlwm i ddatblygu a chymhwyso'r sgiliau
- y cyfleoedd a gynigir yn rhoi her gynyddol i ddisgyblion ar bob lefel
- athrawon yn deall pa sgiliau y mae'n rhaid i ddisgyblion eu defnyddio a pha bryd
- y cyfleoedd a gynlluniwyd yn cael eu gweithredu
- arbenigedd y staff yn ddigonol i'w galluogi i helpu disgyblion i ddatblygu'r sgiliau angenrheidiol
- adnoddau digonol i weithredu'r rhaglen.

Nid un ffordd yn unig sydd o wneud hyn a bydd ysgolion yn defnyddio ac yn addasu eu gweithdrefnau cyfredol fel sy'n digwydd wrth fonitro unrhyw fenter ysgol gyfan.

Bydd gan gydlynwyr sgiliau unigol dasgau tebyg ond byddant, wrth gwrs, yn canolbwyntio ar eu cyfrifoldebau penodol. Mewn llawer o ysgolion, yn arbennig ysgolion uwchradd, byddant yn cynnal gwiriad cychwynnol o'u maes sgiliau ac yn adrodd yn ôl i'r cydlynydd ysgol gyfan. Bydd gan benaethiaid adrannau mewn ysgolion uwchradd, ac arweinwyr cwricwlwm mewn ysgolion cynradd ac ysgolion arbennig, gyfrifoldeb dros gynnwys monitro sgiliau angenrheidiol yn eu rhaglen fonitro arferol a bydd eu canfyddiadau, yn eu tro, hefyd yn rhan o adroddiad y cydlynydd sgiliau.

Mae gwerthuso yn broses wahanol a mwy sylfaenol a bydd yn debygol o ddigwydd ar lefel rheoli uwch. Bydd angen ystyried a fu'r rhaglen ei hun yn llwyddiant, os yw wedi cyflawni ei hamcanion ac a oes angen ei hadolygu neu ei newid, yn rhannol neu'n gyfan gwbl. Efallai y bydd ysgolion yn dymuno gwirio perfformiad yn erbyn meini prawf llwyddiant a luniwyd ganddynt hwy eu hunain ar gyfer amgylchiadau penodol yr ysgol.

Monitro ac asesu cynnydd y disgyblion

Wrth benderfynu a yw rhaglen yn effeithiol, blaenoriaeth gyntaf yr ysgol yw ystyried yr effeithiau ar ddysgu disgyblion a'r safonau a gyflawnwyd.

Ar gyfer sgiliau cyfathrebu, mathemategol a TG, bydd gan yr asesiad o gymhwysedd sgiliau disgyblion berthynas agos â'r diffiniadau o ddilyniant a amlinellir yn y rhaglenni astudio ynghyd â'r disgrifiadau lefel ar gyfer y pynciau perthnasol. Nid athrawon yn yr adrannau hyn yn unig, fodd bynnag, fydd yn asesu cynnydd y disgyblion. Mae athrawon ym mhob maes pwnc hefyd angen, yn ogystal â syniad clir o'r safonau o fewn eu pynciau eu hun, ddealltwriaeth o ddisgwyliadau yr ysgol parthed y sgiliau angenrheidiol. Byddant wedyn yn gallu llunio penderfyniadau ynglŷn â'r ffyrdd y bydd disgyblion yn cymhwyso'r sgiliau, ac yna'n cyflwyno'r wybodaeth i system asesu'r ysgol.

Lle mae athrawon eisoes yn cadw portffolio ysgol o waith disgyblion i ddangos safonau, gellir defnyddio llawer o'r defnydd fel tystiolaeth o ddilyniant yn y sgiliau angenrheidiol. Gall portffolios o'r fath hefyd fod o gymorth i athrawon pynciau eraill fel adnoddau meincnodi er mwyn iddynt gael, er enghraifft, syniad eglur o beth yw darn o ysgrifennu ffeithiol sy'n rhesymegol ac sydd wedi ei ysgrifennu yn dda o safbwynt sgiliau Cymraeg/Saesneg. Mae meini prawf eglur ar gael yn y pynciau hyn, fel ym mathemateg a TG, ac mae'n bwysig bod yr holl staff yn gyfarwydd â'r meini prawf hyn.

Mae asesu sgiliau creadigol a datrys problemau yn dibynnu ar feini prawf penodol i bwnc a phenodol i dasg. Er enghraifft, asesir gwrthrych a grëwyd ym maes dylunio a thechnoleg o ran ffactorau megis:

- dewis addas o ddefnyddiau – yn seiliedig ar wybodaeth y disgyblion o ddefnyddiau
- sgiliau cynhyrchu – yn seiliedig ar y modd y mae disgyblion yn defnyddio offer
- addasrwydd i bwrpas – yn seiliedig ar y fanyleb wreiddiol ar gyfer y gwrthrych.

Fodd bynnag, efallai fod meini prawf cyffredin ar gyfer y broses o ymgymryd â thasg greadigol neu ddatrys problemau sydd hefyd yn gymwys ar draws y cwricwlwm. Gall y rhain gynnwys gallu'r disgybl i:

- ddefnyddio ystod fwyfwy soffistigedig o sgiliau
- llunio ateb posibl yn gynt a bod yn fwy parod i wrthod opsiynau anaddas
- bod yn fwy effeithlon wrth werthuso cryfderau a gwendidau eu hatebion/canlyniadau/creadigaethau eu hunain ac eraill
- gwella a datblygu eu syniadau creadigol eu hunain
- awgrymu eu syniadau ymchwilio eu hunain a'u syniadau ar gyfer cynhyrchion.

Wrth gynllunio, mae'n hanfodol bod athrawon yn adnabod amcanion clir, yn cynnwys amcanion ar gyfer sgiliau a'u bod, yn ddelfrydol, yn rhannu hyn gyda'r disgyblion. Yna, gall yr athro/athrawes asesu'r amcanion hyn gan fesur maint y llwyddiant a gafwyd. Os yw disgyblion yn ymwybodol o'r meini prawf parthed amcan a llwyddiant, byddant hefyd yn gallu datblygu eu gallu i asesu eu perfformiadau eu hunain. Byddai neilltuo amser ar ddiwedd gwersi unigol er mwyn i ddisgyblion allu adolygu yr hyn a ddysgwyd ac adnabod yr hyn sydd arnynt angen ei wneud i wella eu perfformiad o gymorth i'r broses hon. Bydd rhai ysgolion yn darparu rhestr wirio o sgiliau mewn gwahanol feysydd ar gyfer disgyblion, er mwyn iddynt eu defnyddio pan fo hynny'n briodol. Yn aml, mae'n cynnwys adran sy'n galluogi athro i wirio cyrhaeddiad disgybl. Beth bynnag fo'r dull, mae'n dod yn fwyfwy eglur bod gallu disgyblion i asesu eu perfformiadau eu hunain yn sgil hanfodol a nerthol, ac yn sgil sy'n rhaid ei annog.

Ar gyfer disgyblion gydag AAA, gosodir targedau dysgu o fewn y Cynlluniau Addysg Unigol (CAU). Mae'n hynod bwysig i'r disgyblion hyn fod y sgiliau a ddysgir yn cael eu cyffredinoli a'u defnyddio mewn amryw o gyd-destunau, yn ogystal â'u hatgyfnerthu mewn amrywiaeth o sefyllfaoedd. Dylai'r holl staff fod yn ymwybodol pan osodir targedau newydd fel bod modd defnyddio'r wybodaeth fel sail ar gyfer gwahaniaethu mewn gwersi. Ar gyfer disgyblion ag anawsterau dysgu dwys (ADD)/anghenion cymhleth, gall cynnydd yn y sgiliau trawsgwricwlaidd hyn gael blaenoriaeth dros sgiliau, gwybodaeth a dealltwriaeth sy'n benodol i bwnc.

Mae gwir werth asesu sgiliau, fel pob asesu, i'w weld wrth egluro i ddisgyblion, rhieni ac athrawon beth yn union yw cyrhaeddiad y disgyblion, beth yw eu cryfderau a'u gwendidau ynghyd â'r ffordd ymlaen. Gobeithir y bydd y ganllaw hon o gymorth i ysgolion gyda'r gwaith hwn.

Atodiadau

Datblygu sgiliau o fewn y fframwaith cwricwlwm ac asesu

Wrth i ddisgyblion symud o addysg cyn oedran ysgol gorfodol drwodd i ddiwedd Cyfnod Allweddol 4, dylent ddatblygu amrediad o sgiliau pwysig a chael cyfle i'w rhoi ar waith. Mae'r sgiliau hyn yn helpu i'w paratoi ar gyfer cyfleoedd, cyfrifoldebau a phrofiadau bywyd fel oedolyn a bywyd gwaith – er enghraifft, gallu cyfathrebu'n effeithiol, gweithio â rhifau, defnyddio Technoleg Gwybodaeth a datrys problemau.

Ffigur 7: Datblygiad Sgiliau

Canlyniadau Dymunol	**Sgiliau Iaith, Llythrennedd a Chyfathrebu** Rhoddir profiadau i blant sy'n eu helpu i wrando ac ymateb i storïau a chaneuon; mynegi anghenion a barn a gwneud dewisiadau; datblygu sgiliau cyn-darllen; a defnyddio offer marcio	**Datblygiad Mathemategol** Rhoddir profiadau i blant sy'n eu helpu i gaffael a defnyddio iaith fathemategol am siâp, safle a maint; adnabod patrymau sylfaenol; dosbarthu, cydweddu, trefnu, dilyniannau, cymharu a rhifo gwrthrychau cyfarwydd; a dechrau adnabod rhifau
Gofynion Cyffredin y Cwricwlwm Cenedlaethol	**Sgiliau Cyfathrebu** Mae plant yn datblygu ac yn defnyddio eu sgiliau siarad, gwrando, darllen, ysgrifennu a mynegi syniadau trwy amrywiaeth o gyfryngau	**Sgiliau Mathemategol** Mae disgyblion yn datblygu a defnyddio eu gwybodaeth a'u sgiliau mewn rhif, siâp, gofod a mesurau a thrafod data
Unedau Sgiliau Allweddol yn y fframwaith Cymwysterau Cenedlaethol	**Cyfathrebu** Mae myfyrwyr yn dysgu, dethol a defnyddio'r sgiliau cyfathrebu sydd eu hangen wrth gymryd rhan mewn trafodaethau, gan gynnwys gwneud adroddiadau a chyflwyniadau llafar; darllen ac ymateb i ddeunydd ysgrifenedig, gan gynnwys delweddau; cynhyrchu deunydd ysgrifenedig	**Cymhwyso Rhif** Mae myfyrwyr yn dysgu, dethol a defnyddio'r sgiliau rhif sydd eu hangen wrth ddehongli gwybodaeth o wahonol ffynonellau, gweithredu cyfrifon, dehongli canlyniadau a chyflwyno casgliadau

Mae'r sgiliau hyn yn rhychwantu meysydd pwnc unigol. Cyflwynir llawer o'r sgiliau hyn i blant dan bump oed trwy'r meysydd dysgu a phrofiad a ddisgrifir yn *Canlyniadau Dymunol i Ddysgu Plant cyn Oedran Addysg Orfodol* (ACCAC, 2000). Yna fe'u datblygir, yn gyntaf trwy'r Cwricwlwm Cenedlaethol, ac yn ddiweddarach trwy gymwysterau yng Nghyfnod Allweddol 4. Dengys ***Ffigur 7*** y cysylltiadau rhwng yr amrediad o sgiliau a nodir mewn gwahanol ddogfennau.

Technoleg Gwybodaeth

(o fewn Gwybodaeth a Dealltwriaeth o'r Byd)

Rhoddir profiadau i blant sy'n eu helpu i ddechrau deall y defnydd o amrywiaeth o ffynonellau gwybodaeth, er enghraifft technoleg gwybodaeth

Datblygiad Personol a Chymdeithasol

Rhoddir profiadau i blant sy'n eu helpu i deimlo'n hyderus a gallu creu perthynas; dangos gofal, parch a hoffter at eraill; canolbwyntio am gyfnodau sy'n cynyddu fwyfwy; ac ennill sgiliau bywyd sylfaenol fel gwisgo amdanynt

Datrys Problemau

(o fewn Gwybodaeth a Dealltwriaeth o'r Byd)

Rhoddir profiadau i blant sy'n eu helpu i ddechrau dod i wybod am ganlyniadau, datrys problemau a gwneud penderfyniadau

Sgiliau Technoleg Gwybodaeth

Mae disgyblion yn datblygu a defnyddio eu sgiliau TG i gael, paratoi, prosesu a chyflwyno gwybodaeth ac i gyfleu syniadau ag annibyniaeth gynyddol

Addysg Bersonol a Chymdeithasol

Disgyblion i ddatblygu a defnydio'r agweddau, y gwerthoedd, y sgiliau, y wybodaeth a'r ddealltwriaeth sy'n ymwneud ag addysg bersonol a chymdeithasol

Sgiliau Datrys Problemau

Mae disgbylion yn datblygu a defnyddio eu gallu i ofyn cwestiynau priodol, gwneud rhagfynegiadau a dod i benderfyniadau gwybodus

Technoleg Gwybodaeth

Mae myfyrwyr yn dysgu, dethol a defnyddio'r sgiliau TG sydd eu hangen i ddarganfod, archwilio, datblygu a chyflwyno gwybodaeth, gan gynnwys testun, delweddau a rhifau

Gwella eu Dysgu a'u Perfformiad eu Hunain

Mae myfyrwyr yn dysgu, dethol a defnyddio'r sgiliau sydd eu hangen wrth osod targedau a chynllunio gweithredu, dilyn y cynllun i gyrraedd targedau ac yna adolygu datblygiad a chyflawniadau

Cydweithio ag Eraill

Mae myfyrwyr yn dysgu, dethol a defnyddio'r sgiliau sydd eu hangen wrth gynllunio a chadarnhau gweithgareddau ar y cyd ag eraill, wrth weithio ag eraill tuag at dargedau a bennwyd, adnabod datblygiad ac awgrymu gwelliannau

Datrys Problemau

Mae myfyrwyr yn dysgu, dethol a defnyddio'r sgiliau datrys problemau sydd eu hangen wrth adnabod problemau, cynllunio a cheisio darganfod atebion opsiynol, gosod atebion a gwirio llwyddiant

Tynnwydd o *Y Cwricwlwm Ysgol yng Nghymru*, ACCAC, 2000

Geirfa a diffiniadau

Ffynhonnell a geirfa a ddefnyddir	Diffiniadau a/neu ddisgrifiadau o'r sgiliau i'w haddysgu	Asesu sgiliau ac adnabod cyrhaeddiad
***Canlyniadau Dymunol i Ddysgu Plant Cyn Oedran Addysg Orfodol* (ACCAC)**		**Asesiad sylfaen**
	Rhoddir profiad i blant sydd o gymorth iddynt:	Asesu disgyblion yn y dosbarth Derbyn (neu Blwyddyn 1 os ydynt yn dechrau'r ysgol yr adeg honno) o ran:
• Sgiliau Iaith, Llythrennedd a Chyfathrebu	• wrando ac ymateb i storïau a chaneuon; mynegi anghenion a barn a gwneud dewisiadau; datblygu sgiliau cyndarllen; a defnyddio offer sy'n gwneud marc	• Sgiliau iaith – yn cynnwys gwrando a chyfathrebu, gwrando ac ymateb i ysgogiad, darllen ac ysgrifennu
• Datblygiad Mathemategol	• caffael a defnyddio iaith fathemategol yn ymwneud â ffurf, safle, maint a nifer; adnabod patrymau sylfaenol; trefnu, cydweddu, cymharu a chyfrif gwrthrychau cyfarwydd; a dechrau adnabod rhifau	• Sgiliau mathemategol – yn cynnwys rhif a iaith fathemategol, maint, ffurf a gofod
• Technoleg Gwybodaeth	• dechrau deall y defnydd o amrywiaeth o ffynonellau gwybodaeth, er enghraifft technoleg gwybodaeth	
• Datblygiad Personol a Chymdeithasol	• teimlo'n hyderus a gallu ffurfio perthynas; dangos gofal, parch ac anwyldeb at eraill; canolbwyntio am gyfnodau hirach o amser; ac ennill sgiliau bywyd sylfaenol megis gwisgo amdanynt eu hunain	• Sgiliau personol a chymdeithasol.
• Datrys problemau (o fewn Gwybodaeth a Dealltwriaeth o'r Byd)	• dechrau dod i wybod am ganlyniadau, datrys problemau a gwneud penderfyniadau	
• Datblygiad Creadigol	• datblygu eu dychymyg a'u creadigrwydd ynghyd â'u gallu i'w mynegi.	

Ffynhonnell a geirfa a ddefnyddir	Diffiniadau a/neu ddisgrifiadau o'r sgiliau i'w haddysgu
Gofynion Cyffredin yng Ngorchmynion Pwnc y Cwricwlwm Cenedlaethol (ACCAC)	Disgyblion yn datblygu ac yn defnyddio:
• Sgiliau Cyfathrebu	• eu sgiliau siarad, gwrando, darllen, ysgrifennu a mynegi syniadau trwy ystod o gyfryngau
• Sgiliau Mathemategol	• eu gwybodaeth a sgiliau rhif, siâp, gofod a mesur a thrin data
• Sgiliau Technoleg Gwybodaeth	• eu sgiliau TG i gywain, paratoi, prosesu a chyflwyno gwybodaeth ac i gyfathrebu syniadau yn fwyfwy annibynnol
• Addysg Bersonol a Chymdeithasol	• eu hagweddau, gwerthoedd, sgiliau, gwybodaeth a dealltwriaeth o safbwynt datblygiad personol a chymdeithasol
• Sgiliau Datrys Problemau	• eu sgiliau i ofyn cwestiynau addas, llunio rhagfynegiadau a chyrraedd penderfyniadau deallus
• Sgiliau Creadigol	• eu sgiliau creadigol, yn arbennig datblygiad a mynegiant eu syniadau a'u dychymyg.

Asesu sgiliau ac adnabod cyrhaeddiad

Asesiad parhaol ac asesiad athro statudol a thasgau a phrofion statudol

Bydd asesiad athrawon parhaus yn digwydd yn anffurfiol gydol pob blwyddyn. Bydd athrawon yn cofnodi cyrhaeddiad disgyblion ac mae gofyn i ysgolion gofnodi cynnydd disgyblion mewn pynciau a gweithgareddau.

Ar ddiwedd pob cyfnod allweddol, ym Mlwyddyn 2, Blwyddyn 6 a Blwyddyn 9, asesir disgyblion trwy asesiadau statudol athro, ac ym Mlwyddyn 6 a Blwyddyn 9, drwy tasgau/profion mewn:

- Cymraeg a/neu Saesneg
- mathemateg

Ym Mlwyddyn 9 bydd disgyblion hefyd yn cael asesiad athro statudol mewn TG.

Mae asesiadau yn y pynciau eraill hefyd yn cydnabod cyrhaeddiad yn y gofynion cyffredin.

Hefyd, gellir cydnabod cyrhaeddiad yn y gofynion cyffredin yn y Ffeil Gynnydd.

Ffynhonnell a geirfa a ddefnyddir	Diffiniadau a/neu ddisgrifiadau o'r sgiliau i'w haddysgu	Asesu sgiliau ac adnabod cyrhaeddiad
Cymwysterau Sgiliau Allweddol (ACCAC, QCA a'r Cyrff Dyfarnu)		**Unedau Sgiliau Allweddol**
	Bydd disgyblion yn dysgu, dewis a defnyddio y:	Rhoddir Dyfarniad ym mhob un o'r chwech Sgil Allweddol ar Lefelau 1, 2 a 3.
• Cyfathrebu	• sgiliau cyfathrebu sydd eu hangen wrth gyfrannu i drafodaethau, gan gynnwys gwneud adroddiadau a chyflwyniadau llafar, darllen ac ymateb i ddefnydd ysgrifenedig, yn cynnwys lluniau; cynhyrchu defnydd ysgrifenedig	Mae Cyfathrebu, Cymhwyso Rhif a Thechnoleg Gwybodaeth ar gael fel cymwysterau cenedlaethol gydag asesiad mewnol ac asesiad allanol.
• Cymhwyso Rhif	• sgiliau rhif sydd eu hangen i ddadansoddi gwybodaeth o wahanol ffynonellau, cynnal cyfrifiadau, dadansoddi canlyniadau a chyflwyno canfyddiadau	Mae'r tri arall, sy'n cael eu hadnabod fel y 'sgiliau allweddol ehangach', yn eistedd y tu allan i'r Fframwaith Cymwysterau Cenedlaethol ac yn cael eu tystysgrifo ar sail asesiad mewnol yn unig.
• Technoleg Gwybodaeth	• sgiliau TG sydd eu hangen i gywain, archwilio, datblygu a chyflwyno gwybodaeth, yn cynnwys testun, lluniau a rhifau	Hefyd, gellir cydnabod cyrhaeddiad o safbwynt Sgiliau Allweddol yn y Ffeil Gynnydd.
• Gwella'ch Dysgu a'ch Perfformiad eich hun	• sgiliau sydd eu hangen wrth osod targedau a chynllunio gweithredu, dilyn cynllun i gyrraedd targed, ac yna adolygu'r broses a'r cyraeddiadau	
• Gweithio gydag Eraill	• sgiliau sydd eu hangen wrth gynllunio a chadarnhau gweithgareddau gydag eraill, gweithio gydag eraill i gyrraedd targedau a welwyd, adnabod cynnydd a chynnig gwelliannau	
• Datrys Problemau	• sgiliau datrys problemau sydd eu hangen wrth adnabod problemau, cynllunio a rhoi cynnig ar atebion posibl, cymhwyso opsiynau a gwirio llwyddiant.	

Ffynhonnell a geirfa a ddefnyddir	Diffiniadau a/neu ddisgrifiadau o'r sgiliau i'w haddysgu	Asesu sgiliau ac adnabod cyrhaeddiad
Sgiliau Allweddol yn y *Llawlyfr ar gyfer Arolygu Ysgolion* (Estyn, 2000)	Disgyblion yn:	
• Siarad	• siarad yn glir ac yn glywadwy, gan addasu eu lleferydd i ystod o amgylchiadau a gofynion	**Adroddiadau arolwg** sy'n adrodd ar ysgolion unigol ar y safonau a gyflawnwyd a'r cynnydd a wnaed ar draws y cwricwlwm ym mhob un o'r sgiliau allweddol.
• Gwrando	• gwrando ar eraill ac yn ymateb yn briodol i'r hyn a ddywedant	**Arolwg archwilio** sy'n adrodd yn gyfnodol ar safonau a gyflawnwyd a'r cynnydd a wnaed ar draws Cymru.
• Darllen	• darllen yn gywir, gyda mynegiant a dealltwriaeth o amrywiaeth o ffynonellau	
• Ysgrifennu	• ysgrifennu yn gydlynol, yn rhugl ac yn gywir ar gyfer ystod o ddibenion	
• Rhifedd	• defnyddio, cymhwyso a dehongli data rhifyddol ac ystadegol a gyflwynir mewn amrywiaeth o ffurfiau	
• Defnyddio technoleg gwybodaeth a chyfathrebu	• defnyddio ystod o dechnoleg gwybodaeth a chyfathrebu at amrywiol ddibenion.	

Ffynhonnell a geirfa a ddefnyddir	Diffiniadau a/neu ddisgrifiadau o'r sgiliau i'w haddysgu	Asesu sgiliau ac adnabod cyrhaeddiad
Llythrennedd a Rhifedd yn y *Fframweithiau Gweithredu* mewn Ysgolion Cynradd (Cynulliad Cenedlaethol Cymru ac Estyn)		
• Llythrennedd	Mae llythrennedd yn Gymraeg a Saesneg yn ymwneud â galluogi disgyblion i ddarllen ystod eang o ddeunyddiau gyda hyder, cywirdeb a mwynhad, i gyfathrebu'n effeithiol wrth siarad ac ysgrifennu ac i wrando gyda dealltwriaeth.	
• Rhifedd	Rhifedd yw hyfedredd gyda rhif sy'n galluogi disgyblion i ddefnyddio dulliau ystwyth ac effeithiol o gyfrifiannu a chofnodi, ac i'w cymhwyso'n hyderus a deallus.	

Ffynhonnell a geirfa a ddefnyddir	Diffiniadau a/neu ddisgrifiadau o'r sgiliau i'w haddysgu	Asesu sgiliau ac adnabod cyrhaeddiad
Sgiliau Sylfaenol (Asiantaeth Sgiliau Sylfaenol)		
• Llythrennedd	Y gallu i ddarllen, ysgrifennu a siarad yn Saesneg (neu yn Gymraeg i'r bobl sydd â'r Gymraeg yn famiaith).	**Marc Ansawdd ar gyfer Sgiliau Sylfaenol mewn ysgolion cynradd** – dyfernir i ysgolion sy'n bodloni deg elfen y Marc Ansawdd.
• Rhifedd	Y gallu i ddefnyddio mathemateg ar lefel i weithredu a gwneud cynnydd mewn gwaith ac mewn cymdeithas yn gyffredinol.	**Marc Ansawdd ar gyfer Sgiliau Sylfaenol mewn ysgolion uwchradd** – dyfernir i ysgolion sy'n bodloni deg elfen y Marc Ansawdd.

Cyhoeddiadau a chyfeiriadau safweoedd defnyddiol

ACCAC

Canlyniadau Dymunol i Ddysgu Plant Cyn Oedran Addysg Orfodol, 2000

Y Cwricwlwm Ysgol yng Nghymru, 2000

Fframwaith Addysg Bersonol a Chymdeithasol, Cyfnodau Allweddol 1–4 yng Nghymru, 2000

Addysg Bersonol a Chymdeithasol: Canllawiau Atodol, 2000

INSET Activities for Developing Higher Order Reading Skills at KS2, 1996

Datblygu Uwch-Sgiliau Darllen Cymraeg yng Nghyfnod Allweddol 2: Pecyn HMS, 1996

Gweithgareddau HMS i Ddatblygu Sgiliau Rhif mewn Mathemateg yng Nghyfnod Allweddol 2, 1996

Deunyddiau Asesu Dewisol ar gyfer Saesneg Cyfnod Allweddol 2, 1999

Deunyddiau Asesu Dewisol ar gyfer Saesneg Cyfnod Allweddol 3, 2000

Deunyddiau Asesu Dewisol ar gyfer Cymraeg Cyfnod Allweddol 2, 2001

Deunyddiau Asesu Dewisol ar gyfer Cymraeg Cyfnod Allweddol 3, 2002

Deunyddiau Asesu Dewisol ar gyfer Mathemateg Cyfnod Allweddol 2, 2002

Deunyddiau Asesu Dewisol ar gyfer Mathemateg Cyfnod Allweddol 3, 2002

Deunyddiau Asesu Dewisol ar gyfer Technoleg Gwybodaeth Cyfnod Allweddol 2, 2002

Gofyn Cwestiynau – Cael Atebion: Adroddiad project ymchwil ar bolisïau iaith ysgol gyfan yn ysgolion uwchradd Cymru, 1999

Gofyn Cwestiynau – Cael Atebion: Agweddau Ysgol Gyfan i Ddatblygu Gallu TG, 1999

Strwythur ar gyfer Llwyddo – Arweiniad ar y Cwricwlwm Cenedlaethol ac Anhwylder Sbectrwm Awtistig, 2000

Disgyblion Heriol: Galluogi Mynediad – Cwrdd ag Anghenion Cwricwlaidd Disgyblion ag Anawsterau Emosiynol ac Ymddygiadol, 2000

ACCAC, Adeiladau'r Castell, Stryd Womanby, Caerdydd CF10 1SX
Ffôn: 029 2037 5400
Ffacs: 029 2034 3612
E-bost: info@accac.org.uk
Safwe: www.accac.org.uk

Estyn

Fframwaith ar gyfer Arolygu Ysgolion, Adolygwyd 2000

Llawlyfr ar gyfer Arolygu Ysgolion, Adolygwyd 2000

Adroddiad Blynyddol Prif Arolygydd ei Mawrhydi dros Addysg a Hyfforddiant yng Nghymru 2000–2001

Codi Safonau Darllen mewn Ysgolion Cynradd, 1999

Codi Safonau Ysgrifennu mewn Ysgolion Cynradd, 2001

Codi Safonau Sillafu Saesneg mewn Ysgolion Cynradd, 2001

Safonau ac Ansawdd mewn Ysgolion Cynradd: Cynllunio drwy waith topig yng Nghyfnodau Allweddol 1 a 2, 2000

Safonau ac Ansawdd mewn Ysgolion Cynradd: TG a Gwerthusiad Terfynol o Broject WOMPI, 1999

Safonau ac Ansawdd mewn Ysgolion Cynradd: Taflenni Pwnc, 2001

Y Bartneriaethau rhwng Ysgolion Cynradd ac Uwchradd: Gwella Dysgu a Pherfformiad, 1999

Safonau ac Ansawdd mewn Ysgolion Uwchradd: Taflenni Pwnc, 2001

Anelu at Ragoriaeth yn y Ddarpariaeth ar gyfer Anghenion Addysgol Arbennig, 2001

Estyn, Llys Angor, Ffordd Keen, Caerdydd CF24 5JW
Ffôn: 029 2044 6446
Ffacs: 029 2044 6448
E-bost: enquiries@estyn.gsi.gov.uk
Safwe: www.estyn.gov.uk

Cynulliad Cenedlaethol Cymru

Codi Safonau Llythrennedd mewn Ysgolion Cynradd: Fframwaith ar gyfer Gweithredu yng Nghymru, Swyddfa Gymreig/OHMCI, 1998

Codi Safonau Rhifedd mewn Ysgolion Cynradd: Fframwaith ar gyfer Gweithredu yng Nghymru, Swyddfa Gymreig/OHMCI, 1999

Strategaeth Genedlaethol Sgiliau Sylfaenol i Gymru, 2001

Cynulliad Cenedlaethol Cymru, Parc Cathays, Caerdydd CF10 3NQ
Ffôn: 029 2082 5111
E-bost: education.publications@wales.gsi.gov.uk
Safwe: www.wales.gov.uk

Yr Asiantaeth Sgiliau Sylfaenol

Marc Safon – Sgiliau Sylfaenol ar gyfer Ysgolion Cynradd, 1996

Y Sgiliau Sylfaenol: Marc Safon Ysgolion Uwchradd, 1996

Sgiliau Llythrennedd a Rhifedd yng Nghymru, 1997

The Basic Skills Agency, Commonwealth House, 1–19 New Oxford Street, London WC1A 1NU
Ffôn: 020 7405 4017
Ffacs: 020 7440 6626
E-bost: enquiries@basic-skills.co.uk
Safwe: www.basic-skills.co.uk

Arall

Sgiliau Allweddol:
Anghenion Gweithredu mewn ysgolion a cholegau, Ysgol Addysg, Prifysgol Caergrawnt, 2000

Cyflwyno Sgiliau Allweddol yn Effeithiol, Adroddiad ymchwil yr Adran Addysg (RBX 10/00)
Safwe: www.dfes.gov.uk/research/

Datblygu Sgiliau Siarad, CILT, 1999
Safwe: www.cilt.org.uk

Pwnc Iaith – Iaith Pwnc, Cen Williams, Canolfan Bedwyr, Prifysgol Bangor, 1994
Ffôn: 01248 383293
Ffacs: 01248 383293
Safwe: www.bangor.ac.uk/ar/cb/cb.htm

Cydnabyddiaethau

Mae ACCAC yn ddiolchgar i'r tîm o NFER am gynnal yr ymchwil. Aelodau'r tîm oedd: Felicity Fletcher-Campbell, Robat Powell a Jane Nicholas.

Hoffai ACCAC hefydd ddiolch i'r amryw athrawon, ysgolion ac eraill roddodd gymorth i ddatblygu'r ganllaw hon.

Ysgol Gynradd Abercanaid, Abercanaid

Ysgol Gynradd Beaufort Hill, Glyn Ebwy

Ysgol Gynradd Brynteg, Wrecsam

Ysgol Gyfun Glyncoed, Glyn Ebwy

Ysgol Uwchradd John Summers, Queensferry

Ysgol Gyfun Llanbedr Pont Steffan, Llanbedr Pont Steffan

Ysgol Uwchradd Lliswerry, Casnewydd-ar-Wysg

Ysgol Gynradd Maendy, Cwmbrân

Ysgol Gynradd Marshfield, Casnewydd-ar-Wysg

Ysgol Uwchradd Pen-y-dre, Merthyr Tudful

Ysgol Gynradd Dyffryn Maesyfed, Maesyfed

Ysgol Gyfun St Cenydd, Caerffili

Ysgol Arbennig Trinity Fields, Ystrad Mynach

Ysgol y Bryn Special School, Shotton

Ysgol y Gorlan, Tremadog

Ysgol Gyfun Maes-yr-Yrfa, Llanelli

Ysgol Gymraeg Castellau, Pontypridd

Ysgol Llangynfelyn, Taliesin

Ysgol Santes Gwenfaen, Caergybi

Ysgol Syr Thomas Jones, Amlwch

Ysgol Tryfan, Bangor

Nodiadau